Secrets de la marraine (PAS SI) maléfique de la Belle au bois dormant

Secrets de la marraine (PAS SI) maléfique de la Belle au bois dormant

Les Éditions Goélette

Graphisme : Marjolaine Pageau
Révision, correction : Corinne De Vailly et Maude-Iris Hamelin-Ouellette
Illustration de la couverture : Julie Jodoin Rodriguez

www.editionsgoelette.com
www.facebook.com/EditionsGoelette

Dépôt légal : 1er trimestre 2013
Bibliothèque et Archives nationales du Québec
Bibliothèque et Archives Canada

Les Éditions Goélette bénéficient du soutien financier de la SODEC pour son programme d'aide à l'édition et à la promotion.

Nous remercions le gouvernement du Québec de l'aide financière accordée par l'entremise du Programme de crédit d'impôt pour l'édition de livres, administré par la SODEC.

Nous reconnaissons l'aide financière du gouvernement du Canada par l'entremise du Fonds du livre du Canada pour nos activités d'édition.

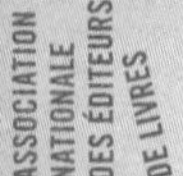

Membre de l'Association nationale des éditeurs de livres

Imprimé au Canada
ISBN : 978-2-89690-562-1

Voici le journal (TRÈS SECRET)
de la fée Carabosse.

NE PAS OUVRIR!

(À moins de vouloir découvrir toute
la vérité sur mon incroyable histoire !)

OCTOBRE

17 octobre

Si vous avez décidé de lire ces pages, c'est que vous êtes curieux d'en apprendre plus sur mon histoire et sur les épreuves que j'ai traversées au cours des derniers mois. Laissez-moi avant tout faire un résumé de ce qui m'amène à écrire ce journal. Il y a plus de seize ans, le roi Arthur et sa femme Liliana ont donné la vie à Belle, la plus jolie princesse de tout le royaume. Pour célébrer l'événement, la reine a organisé une grande fête et a invité toutes les fées marraines, à l'exception de moi-même. Quand j'ai appris la nouvelle, j'ai très mal réagi. J'ai jeté un sort à la princesse : elle se piquerait le doigt sur un fuseau

et en mourrait. Heureusement pour elle, mon amie, la fée Bleutée, est intervenue à temps pour atténuer la malédiction : au lieu de disparaître, la princesse tomberait dans un sommeil profond qui durerait plus de cent ans.

Après cette mésaventure, Bleutée a accepté de me loger et les autres fées marraines ont travaillé à me transmettre les qualités qu'elles avaient offertes à la princesse à sa naissance : la bonté, la vertu, l'honnêteté, la grâce, etc. Elles m'ont aussi encouragée à discuter avec elles, afin de mieux comprendre ce qui m'avait poussée à réagir de cette façon.

Plus les années passaient, et plus je me sentais sereine. J'avais fini par réaliser qu'au fond, je m'étais sentie rejetée par la cour et par mes consœurs. Et j'avais cherché à les punir en m'attaquant à une pauvre innocente. Les fées ont réussi à me pardonner, et j'en suis moi-même arrivée à accepter mes erreurs passées.

De temps en temps, les autres fées me transmettaient les nouvelles du royaume : la princesse venait de célébrer ses cinq ans ; son père lui avait offert un poney ; la reine était partie en vacances à la plage ClaireFontaine ; le roi avait une nouvelle

coupe de cheveux que Boucle d'or avait ridiculisé dans *L'Écho Livredecontes*. Mais la nouvelle qui m'a anéantie m'a été communiquée au quinzième anniversaire de la princesse: elle s'était piquée sur un fuseau et était maintenant plongée dans un profond sommeil. Mes vieux démons me hantaient. Je me sentais terriblement coupable du malheur qui frappait le royaume. Bleutée m'a alors avoué que le roi était si affligé, qu'il avait interdit que mon amie et moi remettions les pieds dans les rues de Livredecontes. Il a aussi exigé que l'une des marraines nous jette un sort pour nous empêcher de voler et d'avoir avoir recours à nos super pouvoirs féeriques.

Bleutée et moi nous sommes donc installées dans une petite maison dans la forêt, tout près de la demeure actuelle de Reine, la belle-mère de Blanche-Neige, et de son mari Henri, devenus de véritables confidents au cours des derniers mois. Reine et moi avons traversé des épreuves similaires, et ça fait du bien de pouvoir compter sur une amie qui m'accepte comme je suis et qui croit sincèrement que j'ai changé. Elle m'a peu à peu présenté son cercle d'amies intimes. J'ai même été invitée à me joindre à son club de bridge du vendredi soir, en compagnie de Rose, sa thérapeute, et de sa meilleure amie, la mère Michel.

Les mois ont passé et, tant bien que mal, j'ai essayé de vivre ma vie à l'écart du royaume, jusqu'à ce soir du mois de juillet dernier où Bleutée est arrivée à la maison en trombe.

« Carabosse ! Tu ne devineras jamais ! Reine vient de me dire que Cendrillon lui avait dit que Grincheux lui avait dit que Blanche-Neige lui avait dit que le roi lui avait dit que Belle avait été embrassée par un prince charmant et qu'elle s'était réveillée ! Ça y est, mon amie ! Notre cauchemar est fini ! La princesse est sauvée ! »

Je me suis précipitée dans ses bras et nous avons pleuré de joie.

« Crois-tu que le roi changera d'idée et nous laissera enfin réintégrer le royaume ? » lui ai-je demandé.

« J'en suis certaine ! Soyons patientes ! Nous aurons bientôt de ses nouvelles. »

Nous avons donc pris notre mal en patience et nous avons attendu pendant des mois, sans toutefois recevoir de nouvelles du roi. Nous avons appris que la princesse s'était mariée avec son Prince Sauveur et que le roi et la reine étaient impatients d'avoir des petits-enfants, mais rien de plus.

Mais voilà, c'est aujourd'hui que tout a basculé. Pour célébrer l'anniversaire de Bleutée, j'ai organisé un petit barbecue à la maison. J'ai invité les autres fées marraines ainsi que Reine, Henri, Rose, la mère Michel, les Sept Nains et quelques autres personnages de Livredecontes. Certains d'entre eux refuseraient sûrement mon invitation, puisqu'ils ne m'ont toujours pas pardonnée, mais j'espérais que, maintenant que Belle était saine et sauve, nous pourrions tous enterrer la hache de guerre.

J'étais en train de poser les bougies sur le gâteau de Bleutée, lorsque Blanche-Neige a fait son apparition dans la cuisine. Je l'ai regardée d'un air hébété. Reine a

renoué avec elle, mais comme elle est la meilleure amie de Belle, elle fait partie des personnes que je ne m'attendais pas à voir aujourd'hui.

« Blanche-Neige ! Quelle belle surprise ! Les nains seront contents de te voir ! »

« Hein ? Quels nains ? » m'a-t-elle demandé en s'admirant les ongles.

« Euh, les Sept Nains avec qui tu as cohabité pendant des années ! »

« Hum, ouais ! mais je ne suis pas ici pour eux. En fait, je suis venue chez toi pour te transmettre un message. »

« Oh ? » Mon cœur battait à tout rompre. Allais-je enfin savoir si le roi était prêt à me pardonner et si je pouvais réintégrer le royaume ? Je rêvais de pouvoir me balader librement en ville et de faire mes courses au supermarché de Livredecontes, au lieu de devoir envoyer Henri faire mes commissions ou d'être forcée de consommer les produits bios et peu appétissants de Reine.

« Et quel est le message ? » ai-je demandé.

« OH, NON ! s'est-elle exclamée soudain en observant son pied. Il y a une tache de boue sur ma chaussure ! Ce sont des Christian Vior ; elles

valent une fortune ! Elles sont ruinées ! Mais pourquoi habitez-vous dans un endroit aussi infect ? ! Réalises-tu que tes invités doivent marcher des kilomètres sur un sentier de terre battue pour se rendre jusqu'ici ? ! »

« Désolée, Blanche-Neige, mais je n'ai pas le choix. Le roi nous force à vivre à l'extérieur de Livredecontes. Si tu ne voulais pas marcher, tu aurais pu demander à quelqu'un de te conduire ! Henri est toujours heureux d'utiliser sa fourgonnette, et j'ai appris qu'Atchoum venait de s'acheter une toute nouvelle décapotable. Si tu veux, nous pourrions lui demander de te raccompagner chez toi après la fête ? »

« Beurk ! Pas question que j'embarque avec lui. Je ne veux pas attraper ses microbes. »

« Mais Blanche-Neige, Atchoum n'est pas malade ! Il souffre d'allergies ! Et ça ne te gênait pas quand tu vivais avec lui ! »

« Ouais, mais les choses ont changé. Je suis une princesse, maintenant. »

« Hum... Pour en revenir à ce que tu me racontais, tu disais donc que tu étais venue jusqu'ici pour me transmettre un message... »

« Hein ? J'ai dit ça, moi ? »

« Oui. Tu ne t'en souviens pas ? »

« Non, m'a-t-elle répondu en sortant son miroir de poche. J'ai tendance à faire de l'amnésie. Mon médecin croit que c'est à cause de ma beauté. Je suis si belle que c'est dur de penser à autre chose. »

J'ai toussoté et j'ai continué à poser les bougies sur le gâteau de mon amie.

« Je pourrais peut-être t'aider à t'en souvenir ? ai-je poursuivi d'un ton nonchalant. Par exemple, crois-tu que ça ait un lien avec le fait que le roi ait envie de me pardonner d'avoir jeté un mauvais sort à sa fille il y a plus de seize ans, et qu'il m'invite maintenant à réintégrer le royaume ? »

Blanche-Neige m'a regardée en écarquillant les yeux, puis son attention s'est de nouveau tournée vers son petit miroir.

« Non, ce n'est pas ça. Il te déteste encore. »

J'ai soupiré. Mon espoir s'envolait une fois de plus en fumée. J'ai invité Blanche-Neige à se joindre aux autres convives et j'ai transporté le gâteau jusqu'au salon. Nous avons chanté *Joyeux anniversaire* en chœur, puis Bleutée a soufflé ses bougies.

« Fais un vœu », lui ai-je dit à l'oreille.

« Je fais le même depuis des années », m'a-t-elle répondu d'un air triste.

Mes amis et moi avons continué à discuter pendant quelques heures. Finalement, Blanche-Neige a retrouvé la mémoire grâce à Dormeur.

« Il commence à se faire tard, nous a dit le nain, en bâillant bruyamment. Je vais rentrer chez moi avant de m'endormir ici. »

Blanche-Neige s'est aussitôt levée d'un bond, laissant tomber sa lime à ongles sur le sol.

« C'est ça ! Je viens de me rappeler que le message que je devais vous transmettre avait un lien avec le sommeil ! » s'est-elle écriée.

« Le message que tu devais "nous" transmettre ? Ça veut dire qu'il ne s'adressait pas qu'à moi ? » me suis-je étonnée.

« Non. Ça me revient, maintenant. Hier soir, j'ai passé la soirée avec Belle. Après une séance de massage, de traitements faciaux, de manucure et de pédicure, elle m'a invitée à prendre le thé chez elle. Elle m'a alors confié que depuis son réveil, elle souffrait d'une drôle de maladie. Elle s'endort à tout moment sans pouvoir se contrôler, et ne se réveille qu'au bout de plusieurs minutes. Elle m'a dit que ça lui empoisonnait vraiment la vie. Par exemple, la semaine dernière, elle s'est endormie au salon de bronzage et elle en est ressortie pratiquement orange ! C'est horrible ! » s'est-elle exclamée avant de fondre en larmes.

zzZZZZZZZZZZ

Bleutée et moi avons échangé un regard.

« Je suis désolée pour Belle, lui ai-je dit en posant une main sur son épaule. Je suis certaine que son teint reviendra à la normale. »

« Ouais, mais que se passera-t-il lorsqu'elle s'endormira avec des rouleaux dans les cheveux ou un masque de beauté sur le visage ? Cette maladie

pourrait causer des dommages irréparables à sa beauté ! »

« Je comprends, mais, hum… Quel est le message que tu devais nous transmettre ? »

« En fait, Belle voulait vous parler en personne, mais son père lui a formellement interdit de venir jusqu'ici. Il croit que vous êtes dangereuses. »

« Je crois qu'on peut officiellement oublier son pardon », m'a chuchoté Bleutée d'un air désespéré.

« Elle m'a donc demandé de venir vous voir pour savoir si l'une de vous sait comment guérir cette maladie, ou si vous croyez qu'il pourrait s'agir d'un autre sortilège, ou alors d'une séquelle du sort que vous lui avez jeté à sa naissance. »

« Hum ! a répondu Bleutée en fronçant les sourcils. Je suis pratiquement certaine qu'elle ne souffre d'aucune séquelle. Il pourrait s'agir d'un autre maléfice, mais je dois faire des recherches pour en savoir davantage. S'il s'agit d'une maladie, je dois aussi fouiller dans mes livres pour en connaître le remède… »

« À mon avis, Dormeur souffre du même problème », a fait remarquer Reine en observant le nain endormi dans mon fauteuil et qui ronflait bruyamment.

« Dans le cas de Dormeur, ce n'est que de la paresse », est intervenu Prof en riant, avant de réveiller son ami.

J'en ai profité pour dire au revoir à mes convives, tout en promettant à Blanche-Neige de nous pencher sur la question et de lui revenir sous peu avec des réponses. Lorsque les derniers invités sont partis, Bleutée et moi nous sommes assises à table pour récapituler.

« Je ne sais vraiment pas quelle peut être la cause du problème de Belle », a dit mon amie en fronçant les sourcils.

« Moi non plus, ai-je répondu. Je crois cependant que nous ne perdons rien à essayer de l'aider. Après tout, si nous arrivons à trouver le traitement pour la guérir, le roi acceptera sûrement de nous pardonner. Penses-y, Bleutée ! C'est peut-être l'occasion rêvée de prouver à tous ceux qui doutent de nous que nous avons vraiment changé, et que nous sommes prêtes à réintégrer le royaume ! »

Mon amie m'a regardée, puis elle a esquissé un sourire.

« Tu as raison ! Il est temps de foncer et de leur montrer ce que nous sommes capables de faire ! »

20 octobre

Depuis trois jours, Bleutée et moi avons le nez plongé dans les livres afin d'essayer de comprendre ce qui peut bien provoquer la somnolence de Belle.

Trois hypothèses peuvent expliquer sa condition :

1- Belle souffrirait d'une maladie rare appelée *reporathon*. Comme elle a passé plusieurs mois dans un sommeil profond, son corps a de la difficulté à fonctionner sans tomber dans des phases de repos. La prise d'antibiotiques serait suffisante pour résoudre le problème.

2- Belle serait en réaction à cause du traumatisme lié au fait d'avoir autant dormi. Sans le vouloir, elle forcerait donc son corps à se reposer davantage. Si c'est le cas, elle pourrait chercher à replonger dans un rêve qu'elle n'a pas eu le temps de terminer. Une séance d'hypnose devrait suffire à la guérir.

3- Belle serait sous l'emprise d'un sortilège appelé *dormironbus* qui la pousse à s'endormir à tout moment. Nous étudions encore les livres, mais il apparaît que seule une créature nommée Têtu Cabochon, vivant en bordure du lac Ilétaitunefois, serait en possession de la potion pouvant contrer le mauvais sort.

Mais avant d'aller plus loin, il est impératif que nous rencontrions la jeune princesse pour lui poser des questions afin de mieux comprendre ce qui lui arrive. Par la suite, nous pourrons décider lequel des traitements lui conviendra le mieux. Ce matin, je suis donc allée chez Reine pour lui faire part de la situation et pour déterminer comment elle pourrait me venir en aide.

« Je sais ! s'est-elle exclamée en souriant. Je n'ai qu'à inviter Belle et Blanche-Neige à se joindre à nous demain, lors de notre partie de bridge. J'irai voir Belle en personne pour lui transmettre l'invitation et lui recommander de ne pas en parler à son père. Je suis certaine qu'il refusera qu'elle m'accompagne s'il apprend que Bleutée et toi êtes là aussi. Je lui dirai que vous avez déjà établi quelques hypothèses, mais qu'il est primordial

que vous la voyiez pour déterminer la nature exacte de son problème. »

« Merci beaucoup, Reine ! lui ai-je répondu. Tu es une bonne amie. Je savais que je pouvais compter sur toi ! »

« Ça me fait plaisir, Carabosse. Je suis passée par une situation semblable. Si Rose ne m'avait pas aidée, je ne sais pas comment je m'en serais tirée ! Grâce à elle j'ai pu reprendre confiance en moi et refaire ma vie avec Henri ! Bref, n'hésite pas ! Si tu as besoin d'aide, je suis là. »

J'ai souri et je m'apprêtais à partir lorsqu'elle m'a offert de rester à déjeuner avec elle.

« J'allais justement concocter une délicieuse fricassée de tofu et de choux de Bruxelles aux fèves germées », a-t-elle ajouté les yeux brillants.

« Je... Je... ne... peux pas rester ! J'ai un rendez-vous », ai-je menti. J'étais prête à tout pour éviter de me mettre une fricassée de tofu dans l'estomac.

« Oh, quel dommage ! s'est désolée mon amie en faisant la moue. Qui dois-tu rencontrer ? Un de tes nombreux prétendants ? »

« Euh... Oui, c'est ça. J'ai un rendez-vous galant. »

« Je suis très heureuse pour toi ! m'a félicitée mon amie en se jetant dans mes bras. Depuis le temps que je t'encourage à t'ouvrir à l'amour ! Comment s'appelle-t-il ? »

« Euh... Marcel. Il travaille dans un chantier. Il est bûcheron, comme Henri », ai-je poursuivi en sentant mes joues s'empourprer. Décidément, j'ai le don de me mettre les pieds dans le plat.

« Henri a transformé ma vie. Il m'a littéralement donné des ailes, m'a confié Reine en me regardant d'un air ému. Je suis certaine que ce Marcel pourra changer la tienne, aussi. Tu verras, mon amie. Dès que ce cauchemar sera terminé et que tu auras guéri Belle, tu pourras enfin retrouver une vie normale et qui sait ? Tu pourrais même t'installer en ville avec Marcel ! J'ai déjà très hâte de le rencontrer ! »

J'ai embrassé mon amie en vitesse et je suis partie avant de m'embourber davantage dans mes mensonges. J'ai maintenant un prétendant imaginaire que je dois présenter à Reine ! La semaine sera longue !

21 octobre

Je viens de rentrer à la maison après une soirée forte en émotions ! Devant passer chez les Sept Nains pour que Prof me remette quelques victuailles, j'ai été la dernière à me pointer chez Reine. Mes amies m'attendaient de pied ferme, prêtes à me bombarder de questions au sujet de Marcel, mon amoureux imaginaire.

« Qu'est-ce qui explique ce retard ? s'est enquise Reine en souriant d'un air coquin. Tu avais un autre rendez-vous avec Marcel, n'est-ce pas ? »

« Non ! Je… Euh ! »

« Ça alors ! Après toutes ces années de complicité, je n'arrive pas à croire que tu m'aies caché que tu fréquentais quelqu'un ! » s'est exclamée Bleutée d'un ton boudeur.

« Je suis désolée, Bleutée ! Ce… Ce n'est pas ce que tu crois. Je voulais en parler à personne, car je ne savais pas encore si cette… relation irait quelque part. À vrai dire, je préfère ne pas en discuter. Je ne crois pas que ça clique tellement entre Marcel et moi. »

« Tu es trop difficile, ma chérie, m'a reproché Reine. Tu dois être plus positive si tu veux donner une chance à l'amour ! Si tu as besoin de temps, je vais respecter ton intimité, mais promets-moi de laisser le temps à Marcel de faire ses preuves avant de baisser les bras ! »

« Euh... D'accord. Je promets de donner une chance à Marcel », ai-je répondu d'une petite voix. La situation prenait une tournure de plus en plus absurde. J'ai décidé de détourner l'attention pour ne pas m'enfoncer davantage.

« Où sont Belle et Blanche-Neige ? » ai-je demandé.

« Elles devraient être ici d'une minute à l'autre », a affirmé Reine en posant un bol de croustilles aux légumes et une tartinade d'épinards sur la table. Beurk ! « J'espère qu'elles ne se sont pas perdues en cours de route... »

« AHHHHHHH ! »

Un cri provenant de l'extérieur nous a interrompues. Nous nous sommes aussitôt précipitées sur la terrasse pour en connaître l'origine. Blanche-Neige se tenait à quelques mètres de nous. Son visage était rouge de colère.

« Blanche-Neige ! Que se passe-t-il ? » me suis-je enquise d'un air surpris.

«REGARDEZ MES CHAUSSURES! s'est-elle écriée en serrant les poings. C'est la deuxième paire que je ruine en moins d'une semaine! Ce sont des Vursace qui m'ont coûté les yeux de la tête!!!»

«Désolée, Blanche-Neige, s'est excusée Reine. Je croyais que tu savais que j'habite en bordure du lac, et que le sentier est plutôt... boueux.»

«Pourquoi habitez-vous dans des endroits pareils? a bougonné Blanche-Neige en écarquillant les yeux. J'ai compris que ton amie la fée n'a pas le choix, mais toi? Qu'est-ce qui te force à rester dans ce coin perdu rempli de moustiques, de vase et d'animaux?»

«J'aime la forêt. Si tu te souviens bien, tu avais l'habitude de t'y plaire, toi aussi.»

«Ouais, ouais! a fait Blanche-Neige d'un air absent en s'efforçant d'essuyer la saleté qui couvrait ses chaussures. Combien de fois dois-je vous répéter que les temps ont changé? Je suis même devenue allergique aux poils d'animaux et intolérante aux plumes d'oiseaux.»

«Où est Belle?» ai-je demandé en réalisant soudain l'absence de son amie.

«Ah, tiens! J'avais oublié que j'étais avec elle, nous a répondu Blanche-Neige. Beau Prince m'a

téléphoné pour m'annoncer que nous étions invités au Grand Bal des couples heureux, et ça m'a fait oublier le reste. Vous voyez? C'est un autre moment d'amnésie. Je crois qu'il faudrait aussi trouver un remède à ma maladie. C'est grave d'être aussi jolie que moi. »

Nous l'avons regardée sans rien dire.

« Coucou? Il y a quelqu'un? » s'est écriée une voix en provenance du sentier.

« C'est Belle! » s'est exclamée Reine en se précipitant vers elle. La princesse est apparue à l'horizon. Ses cheveux et sa robe étaient couverts de boue.

« Nom d'une pomme! Que s'est-il passé? T'es-tu fait attaquer par un animal? » l'a interrogée la mère Michel.

« Non... Je me suis endormie sans le vouloir, et Blanche-Neige ne s'est pas portée à mon secours », nous a-t-elle raconté d'un ton bourru.

« Désolée, mon amie! lui a répondu Blanche-Neige en lui prenant la main. J'ai été distraite par un appel de mon mari. Nous sommes invités au Grand Bal des couples heureux! »

« Oh! Mais c'est génial! Prince Sauveur et moi aussi avons été invités! » s'est écriée Belle.

Les deux amies se sont mises à pousser des cris de joie stridents. Rose et la mère Michel se sont empressées de se réfugier à l'intérieur, tandis que Reine, Bleutée et moi les observions d'un air médusé.

« Trop top extra génial ! » a ajouté Blanche-Neige.

« Tellement cool ! Tellement wow ! » s'est exclamée Belle.

« Je mettrai ma robe à paillettes de diamants ! » a soufflé Blanche-Neige.

« Et moi, mon collier de rubis ! » a renchéri Belle.

« Hum ! Désolée de vous interrompre, les filles, mais nous avons des choses à discuter », ai-je lancé.

« Ah, oui ? a fait Blanche-Neige, comme si je venais de lui apprendre quelque chose. Quoi donc ? »

À cet instant, Belle est tombée au sol et s'est mise à ronfler.

« Ça », me suis-je contentée de répondre en venant en aide à la princesse.

Bleutée, Reine et moi avons transporté Belle jusqu'au sofa.

« Devrait-on la réveiller ? » a demandé Reine.

« Je ne crois pas que ce soit conseillé, a répondu Rose. Dans les cas de somnambulisme, il faut attendre le réveil de la personne atteinte... »

« HÉ-OH ! BELLE ! RÉVEILLE-TOI ! » a hurlé Blanche-Neige dans l'oreille de son amie, qui s'est aussitôt réveillée en sursaut.

« Hein ? Quoi ? Que s'est-il passé ? Où suis-je ? » a demandé Belle, désorientée.

« Tu t'es endormie sans crier gare ! Les filles, ai-je dit en m'adressant à mes amies, je crois qu'il vaut mieux annuler notre partie de bridge et nous consacrer pleinement au problème de Belle. »

Mes amies se sont empressées d'acquiescer. Reine et la mère Michel sont allées faire du thé, tandis que Rose et Bleutée récapitulaient les informations que nous avions retenues jusqu'à maintenant. J'ai profité de mon moment d'intimité avec Belle pour m'excuser sincèrement.

« Je suis désolée, Belle. Même si ta condition actuelle n'a peut-être aucun rapport avec le sort que je t'ai jeté, je regrette sincèrement de m'en être prise à toi lorsque tu étais bébé. J'étais jalouse des autres et amère d'avoir été mise de côté. J'ai cherché à me venger. Sache que depuis ce temps, l'eau a coulé sous les ponts et j'ai

vraiment changé. Je suis devenue une bonne fée marraine grâce à mes consœurs qui m'ont transmis les qualités mêmes qu'elles t'ont offertes à ta naissance… »

« C'est étrange, car Belle est beaucoup plus jolie que toi », a commenté Blanche-Neige en nous observant.

« Les fées auraient bien fait de lui transmettre un peu de tact, à celle-là ! » a soufflé Rose. J'ai entendu mes amies s'esclaffer derrière moi.

« Ouais… Bon, disons que les fées marraines se sont davantage concentrées sur les qualités morales que sur les traits physiques », ai-je répondu en haussant un sourcil.

« Tant qu'à faire, elles auraient pu agiter leur baguette magique pour te rendre superbe, non ? » a ajouté Blanche-Neige.

« Je ne pense pas que c'était leur priorité », ai-je répondu sèchement.

« C'est bien dommage pour toi, car tu ne pourras jamais m'accompagner à Cannes ni à Monte-Carlo », a conclu Blanche-Neige en s'admirant dans un miroir.

« Ouais, bon... Ce que je cherchais donc à te dire, BELLE, ai-je enchaîné en me tournant vers la princesse, c'est que les autres fées marraines m'ont appris que ça ne sert à rien d'envier ou de jalouser les autres, ni de s'en prendre à d'innocentes victimes comme toi. Il m'a fallu plusieurs années pour accepter mes erreurs passées, et j'espère qu'un jour, tu auras aussi la bonté de me pardonner... »

« C'est déjà fait, m'a répondu Belle en souriant. On pardonne tant que l'on aime. »

« Oui, et l'erreur est humaine, et le pardon est divin », ai-je ajouté.

« C'est vrai que le pardon est la plus belle fleur de la victoire », a acquiescé Belle.

« Mais tu sais qu'en disant deux fois pardon, tu ne pardonnes pas deux fois. Tu rends plutôt le pardon encore plus solide, alors pardonne-moi ! Et pardonne-moi encore ! Je regrette sincèrement d'avoir agi ainsi... »

« Chut ! m'a dit Belle en posant un doigt sur mes lèvres. Le regret est une seconde erreur. Il faut faire la paix avec le passé. »

J'ai aussitôt éclaté en sanglots, et Belle m'a consolée.

« Quel cauchemar ! » a soufflé Blanche-Neige en se massant les tempes.

« N'oublie pas que les fées marraines m'ont aussi transmis la bonté, l'indulgence et l'altruisme. Je n'ai donc aucune difficulté à passer l'éponge, m'a dit Belle en ignorant son amie. Ce n'est pas non plus mon genre de garder rancune à ceux qui m'ont blessée. Malheureusement, je ne peux pas en dire autant de mon père. Il est encore très en colère. Il prétend que tu ne changeras jamais, et que ton amie Bleutée n'est guère mieux, puisqu'elle a seulement atténué ton mauvais sort plutôt que de le contrer. »

« Hé, oh ! s'est exclamée Bleutée. Je n'avais que quelques secondes pour agir. Je ne me souvenais plus de la formule magique pour tout annuler. J'ai dit la première chose qui me soit passée par la tête ! C'était tout de même mieux d'atténuer le sortilège que de te faire mourir, non ?! Le roi n'a aucune raison de m'en vouloir ! »

« Je sais, mais mon père est très entêté. Je n'arrive pas à lui faire entendre raison. Je crois toutefois que si vous trouvez une solution à mon problème, il sera plus enclin à vous réintégrer dans le royaume. »

« C'est pour cette raison que nous t'avons invitée ici, lui ai-je expliqué. Bleutée et moi avons fait des recherches à propos de ta condition, et nous avons trois hypothèses. L'une d'elles repose sur la possibilité d'un traumatisme lié au fait d'avoir dormi aussi longtemps et requiert une séance d'hypnose pour te guérir. Rose est une bonne thérapeute ; elle nous accompagnera dans cette aventure. Si ça ne fonctionne pas, ça veut dire que tu souffres peut-être d'une maladie, et que tu devras prendre des antibiotiques. Nous te remettrons cinq cachets. Si dans quelques jours tu constates une amélioration, alors génial ! Sinon, ça veut dire qu'il faudra se pencher sur la troisième hypothèse… »

« Quelle est-elle ? » m'a demandé Belle en écarquillant les yeux.

« Si rien ne fonctionne, nous devrons en conclure que quelqu'un t'a jeté un autre sort, et nous devrons partir à la recherche d'une potion pour te guérir… »

« Quelle est cette potion ? Où se trouve-t-elle ? »

« Hier soir, Carabosse et moi avons découvert que seule une créature vivant en bordure du lac

Ilétaitunefois détient cette potion. Si les deux premières hypothèses se révèlent non concluantes, il nous faudra affronter ce monstre pour te secourir », lui a expliqué Bleutée.

« Mais ça ne sert à rien de s'affoler, ai-je ajouté en voyant une expression de panique sur le visage de Belle. Commençons d'abord par l'hypnose. »

Rose s'est installée devant Belle, tandis que Blanche-Neige, la mère Michel, Reine, Bleutée et moi nous sommes assises autour d'elles.

« Je veux que tu fermes les yeux et que tu fixes un point noir », lui a dit Rose d'une voix rauque.

« Oh, non ! Pas des points noirs ! s'est exclamée Blanche-Neige en sortant son précieux miroir de poche pour examiner ses pores. Ouf ! Aucun bouton en vue ! »

« Chut ! lui a intimé Rose en se tournant vers elle. Belle a besoin de se concentrer. »

« Je veux maintenant que tu retournes dans ton sommeil. Imagine-toi dans ton lit, alors que tu dors profondément. À quoi rêves-tu ? »

« Qu'un prince charmant vient m'embrasser et que je me réveille, a répondu Belle. J'ai des fourmis dans les jambes, et j'ai envie d'enfiler une jolie robe. »

« Que se passe-t-il ensuite ? » lui a demandé Rose.

« Je sens un homme approcher. Il est petit et il me parle, mais je n'entends pas ce qu'il dit. Je peux voir qu'il porte une sorte de bonnet, et qu'il a un gros nez. Puis, il disparaît... Ensuite, c'est au tour d'un grand homme de s'approcher. Il est courageux et vaillant. Il se penche vers moi et m'embrasse. J'ouvre les yeux, et je vois mon Prince Sauveur, qui me demande de l'épouser. Je suis libérée ! »

« Hum ! fait Bleutée d'un air songeur après avoir sorti Belle de son état hypnotique. C'est étrange, car tu ne sembles pas souffrir d'un traumatisme lié à ton sommeil, et tous tes rêves se sont réalisés. Il y a bien sûr la présence de ce petit homme qui me paraît étrange, mais il est trop tôt pour en tirer des conclusions. C'est peut-être ton imagination qui t'a joué des tours pendant ton sommeil. »

« Que devons-nous faire, maintenant ? a demandé Blanche-Neige d'un ton impatient. Je n'ai pas que ça à faire ! Belle et moi avons des tonnes de choses à préparer en vue du bal ! »

« Il faut simplement attendre quelques instants pour voir si l'hypnose a su régler son problème,

a expliqué Rose. Après tout, il se peut que ce soit suffisant pour... »

« Zzzz... Rrrrr. »

Nous nous sommes tournées vers Belle, qui s'était de nouveau endormie sans le vouloir.

« Eh bien! on dirait que l'hypnose n'a pas porté ses fruits, ai-je dit, déçue. J'espère que les antibiotiques auront plus de succès! »

Blanche-Neige a de nouveau réveillé Belle en hurlant, et la mère Michel a offert aux deux princesses de les raccompagner en voiture.

« Tu crois que nous arriverons à la guérir? » ai-je demandé à Bleutée alors que nous marchions dans la nuit, vers la maison.

« Je n'en sais rien, mais il ne faut pas perdre espoir », m'a encouragée mon amie en souriant.

23 octobre

Ce matin, je me suis fait réveiller par des coups à la porte. Je me suis empressée d'ouvrir, et, à ma grande surprise, Rose, la mère Michel, Reine et Bleutée sont apparues devant moi.

« Mais que faites-vous ici? Pourquoi frappez-vous à la porte? Bleutée, tu habites ici, toi aussi. Tu as la clé ! Ce n'était pas nécessaire de me réveiller ! »

« Ce matin, je n'habite pas ici. Je te laisse la maison pour que tu invites ton Marcel à déjeuner ! » s'est-elle exclamée.

« Rose et moi t'avons même cuisiné des muffins aux légumes du jardin et une omelette végétarienne ! Un vrai délice ! » a ajouté Reine en me tendant un panier de provisions.

« Et moi, je t'ai apporté des petits pains au chocolat que j'ai achetés à la boulangerie de Livredecontes », a renchéri la mère Michel en brandissant un sac de viennoiseries.

« Mais... euh... Je... n'ai pas prévenu Marcel ! Je ne crois pas qu'il soit libre ce matin », ai-je menti.

« Allons, mon amie, je suis certaine qu'il se fera un plaisir de se joindre à toi, a insisté Bleutée. Personne ne travaille le dimanche. Je suis sûre qu'il attend de tes nouvelles. Ça fait des jours que tu ne parles que de Belle et de sa maladie, et je tiens à ce que, aujourd'hui, tu penses à toi. Tu crois que Marcel et toi n'avez pas d'avenir, mais j'insiste pour que tu lui donnes une chance... »

« Moi aussi, a poursuivi Reine. J'ai vu des étoiles dans tes yeux la première fois que tu as

fait mention de son existence. Il ne faut pas laisser passer ta chance, Carabosse. Je pense sincèrement que tu devrais foncer. »

Je n'en croyais pas mes oreilles. Non seulement mes amies me forçaient à inviter mon prétendant imaginaire à déjeuner, mais, en plus, elles pensaient que j'étais folle de lui ! Tout cela parce que j'avais voulu éviter de manger la fricassée de tofu de Reine…

« D'accord, je vais téléphoner à Marcel, et, s'il est libre, je l'inviterai à manger ! »

« Tiens, m'a dit Rose en me tendant son téléphone portable. Appelle-le tout de suite. »

Oh-oh ! Je ne pouvais pas faire semblant, car les filles m'observaient attentivement, et j'avais peur que Rose vérifie son téléphone après mon appel pour s'assurer que je n'avais pas feint ma conversation. J'ai donc signalé le premier numéro qui me soit passé par la tête.

« Allô ? » a répondu Pinocchio.

« Bonjour Pi... Euh... Marcel. C'est Carabosse. Ça va bien ? »

« Euh, oui... Mais je ne suis pas Marcel. Je suis Pinocchio. »

Comme mes amies écoutaient ma conversation, il m'était impossible d'expliquer la situation à mon ami, la marionnette.

« Oui, je sais, ai-je dit d'un ton joyeux en espérant qu'il comprenne. Je voulais simplement t'inviter à venir déjeuner à la maison si tu es libre. »

« Hein ? Mais je ne comprends pas. Tu sais que tu parles à Pinocchio ? »

« Oui, ai-je répondu en souriant devant le regard médusé de mes amies qui me faisaient des signes.

« Et tu veux que je vienne déjeuner chez toi ? » a demandé Pinocchio, confus.

« Non » ai-je répondu d'un ton nonchalant.

« Je sens que tu te moques de moi, m'a dit mon interlocuteur. Que se passe-t-il Carabosse ? »

« Oh, oui, me suis-je contentée de répondre en ignorant sa question. Je comprends et je sais

que c'est un peu à la dernière minute. Oui, pas de problème, on se reprendra. Au revoir, Marcel ! »

« JE M'APPELLE PINOCCHIO ! » a hurlé mon ami avant que je raccroche. J'imaginais la tête de la pauvre marionnette à l'autre bout du fil. Son nez devait le faire souffrir et il devait être furieux contre moi !

« Désolée, les filles, mais Marcel n'est pas libre », ai-je menti en souriant. Mais je prendrais bien un de ces petits pains au chocolat. Je vais aller le déguster dans ma chambre. À plus tard ! »

« Pauvre chérie, a chuchoté Reine dans mon dos. Elle veut sûrement s'isoler pour pleurer en cachette. »

Si seulement elles savaient que je jubilais !

25 octobre

Cet après-midi, j'étais en train de jouer à *Hungry Birds* avec mes amies lorsque j'ai entendu des bruits de chevaux à l'extérieur.

« C'est Blanche-Neige et Belle qui arrivent dans leur carrosse doré ! s'est écriée Bleutée en regardant par la fenêtre. Elles viennent sûrement nous dire si les antibiotiques ont fonctionné ! »

Je me suis empressée d'ouvrir la porte pour les accueillir.

« Bonjour, Blanche-Neige ! Ça me fait plaisir de te revoir ! » me suis-je exclamée alors qu'elle s'approchait de la maison.

« Mouais, mais la prochaine fois, ce serait bien de se rejoindre dans un endroit plus civilisé, m'a-t-elle répondu d'un ton bougon. Il y a tellement de poussière ici que j'ai de la difficulté à respirer. »

« Au moins, tes chaussures sont intactes, lui ai-je dit en souriant alors qu'elle s'avançait vers la maison. Alors, quelles sont les nouvelles ? Est-ce que les cachets ont fait effet ? »

Blanche-Neige m'a regardée d'un drôle d'air.

« Tu peux le constater par toi-même », a-t-elle répondu en pointant en direction du carrosse.

Belle dormait à poings fermés en ronflant bruyamment.

« Zut ! a soupiré Bleutée. C'est ce que je craignais. Nous devons nous tourner vers notre troisième hypothèse... »

« Qu'est-ce que ça veut dire, au juste ? » a demandé Blanche-Neige en époussetant sa robe.

« Ça veut dire que quelqu'un a jeté un sort à Belle, et que nous devons mettre la main sur la potion qui peut le conjurer. »

« Ce qui signifie aussi que nous devons partir en direction du lac Ilétaitunefois et affronter une horrible créature », ai-je ajouté les yeux écarquillés.

« Hé, oh ! Pas question que je parte en excursion dans la brousse. J'ai un bal à préparer et des ongles à faire limer », a répliqué Blanche-Neige.

« Qui part en excursion ? a demandé Belle en apparaissant derrière nous en s'étirant. Je crois que je me suis endormie. On dirait bien que j'ai raté quelque chose. »

Bleutée a invité Belle à s'asseoir pour lui faire un résumé de la situation.

« J'ai lu dans l'un de mes livres que ce Têtu Cabochon disparaissait à la pleine lune d'octobre. Cela veut dire qu'il ne nous reste que cinq jours avant son départ. Il faut donc faire vite si nous voulons trouver la potion avant qu'il ne soit trop tard. »

« Alors, il n'y a pas de temps à perdre, a lancé Belle en se levant d'un bond. Je suis prête ! Allons-y ! »

« Je suis contente de te voir si enthousiaste, lui ai-je dit, mais je crois qu'il me faut d'abord parler au roi avant de quitter la ville. Il ne veut pas entendre parler de moi, mais je dois lui expliquer la situation et lui demander la permission pour que tu nous accompagnes. Si tu pars sans le prévenir, cela ne fera qu'envenimer les choses. »

« Très bien, m'a répondu Belle. Tu n'as qu'à venir avec moi au palais. J'expliquerai à mon père qu'il est impératif que tu le voies, et que je parte avec toi ! »

« Les filles, j'aimerais vraiment me joindre à vous, nous a dit la mère Michel. Mon cousin bûcheron possède justement un chalet en bordure du lac Ilétaitunefois, alors nous pourrions y loger quelques jours ! »

« Génial ! » me suis-je écriée.

« Moi aussi, je veux venir, est intervenue Rose. Ma formation de thérapeute pourrait vous être utile lors de la rencontre avec cette créature. »

« Alors, si c'est comme ça, je viens aussi, s'est exclamée Reine. Il est hors de question que je reste seule ici à me tourner les pouces ! Je m'occuperai de vous préparer de bons petits plats. Je suis habituée à cuisiner des mets à base de produits naturels, et il m'apparaît utile que je sois là pour vous concocter de délicieuses fricassées des bois dont vous me donnerez des nouvelles... »

L'idée de consommer des sandwichs à la luzerne et des pâtés aux herbes pendant quatre jours m'a aussitôt donné la nausée, mais je me suis contentée de sourire à mon amie et de la remercier de sa loyauté.

Nos regards se sont aussitôt tournés vers Blanche-Neige, qui était occupée à se brosser les cils en s'admirant dans un miroir.

« Blanche-Neige, j'aimerais beaucoup que tu m'accompagnes, lui a dit Belle en posant sa main sur son épaule. Tu es mon amie la plus chère. Je ne sais pas si je pourrai y arriver sans toi. »

« Hein, quoi ? T'accompagner où ? » a bafouillé Blanche-Neige, confuse.

« Voir la créature qui détient la potion qui peut me guérir », lui a répondu Belle.

« Mais je dois me préparer pour le Bal des couples heureux ! Et toi aussi, Belle ! Nous avons des tonnes de choses à faire d'ici deux semaines : coiffure, traitements contre les points noirs, manucure, retouches faciales, bains flottants, pédicure, laser des jambes, masques pour le visage, conception de ma robe en paillettes de diamants, et j'en passe ! J'ai BEAUCOUP de pain sur la planche. Je ne vois pas comment je trouverai le temps d'affronter des créatures et de chercher une potion magique ! »

Belle a alors décidé de changer d'approche pour la convaincre.

« Blanche-Neige, tu réalises que ma condition pourrait aussi jouer contre toi ? Par exemple, qu'arriverait-il si je m'endormais pendant le bal et que je m'effondrais sur toi ? Ta robe serait ruinée et tu ne pourrais plus épater la galerie ! Boucle d'or en profiterait pour te photographier, et cette

catastrophe ferait la une de tous les journaux de Livredecontes! Crois-tu vraiment qu'il vaille la peine de courir un tel risque?! Penses-y, mon amie: notre soirée pourrait se transformer en cauchemar!»

«OH, NON! Ce serait CATASTROPHIQUE! Il faut vite partir à la recherche de cette potion!»

Belle s'est précipitée dans les bras de son amie pour la remercier.

«Et qui sait, a-t-elle ajouté en s'adressant à Blanche-Neige. Peut-être que les paysages nous inspireront un look d'enfer pour le bal!»

«Oh, oui! a lancé Blanche-Neige, enthousiaste. Je nous imagine déjà déambuler dans le grand hall, vêtues de robes étincelantes et d'accessoires aux couleurs de la nature! À propos, Carabosse, je t'ai entendue parler d'un lac. Crois-tu que je puisse y trouver une source naturelle d'eau chaude? Cela m'aiderait vraiment à me détendre! Les préparatifs de ce bal et les regards admiratifs qui sont sans cesse posés sur moi et mon unique beauté me causent une forte tension aux épaules.»

«Euh! je ne crois pas, non. Mais on dit qu'un monstre y habite. Tu pourrais lui demander. Il s'y connaît sans doute mieux que moi.»

Blanche-Neige a écarquillé les yeux et son visage a blêmi. Bleutée m'a fait de gros yeux et s'est empressée de la rassurer.

« Mais non, voyons ! Carabosse exagère ! Je ne sais pas s'il existe des sources naturelles dans ce coin, mais nous tâcherons de nous informer, a-t-elle dit avant de changer de sujet. Carabosse, il vaut mieux que tu partes immédiatement au palais avec Belle et Blanche-Neige pour aviser le roi. Quoi qu'il arrive, il faut absolument partir à l'aube pour nous assurer de trouver la créature à temps. Entre-temps, je ferai mes recherches pour déterminer le chemin à emprunter. Sachez que même si le lac n'est qu'à quelques heures de marche d'ici, nous ne sommes pas au bout de nos peines... »

J'ai suivi Belle et Blanche-Neige à l'extérieur, puis j'ai salué mes amies.

« À demain matin, les filles. Et merci de m'accompagner dans cette aventure. »

« C'est tout naturel, a répondu Reine en souriant. Une pour toutes, et toutes pour une ! »

26 octobre

Il doit être environ deux heures, mais je n'arrive pas à fermer l'œil ! Non seulement je suis anxieuse à l'idée d'entraîner mes amies dans cette aventure, mais en plus, je n'arrive pas à oublier tout ce qui s'est passé hier lors de mon passage dans les rues de Livredecontes.

Dès que le carrosse de Belle est apparu dans l'avenue principale, les paparazzis se sont précipités pour prendre des clichés des deux princesses.

« Mets-toi un peu de fard à joues et de brillant à lèvres. Tu as l'air trop pâle », a dit Blanche-Neige à Belle en lui tendant sa trousse de maquillage.

Les deux amies se sont rapidement refait une beauté pour poser devant les caméras.

« Ça ne vous gêne pas qu'ils vous suivent partout et qu'ils observent vos moindres mouvements ? » ai-je demandé aux filles.

« Mais pas du tout, a répondu Blanche-Neige en s'appliquant du mascara. C'est moi qui les ai appelés. J'adore être en première page de *L'Écho Livredecontes.* »

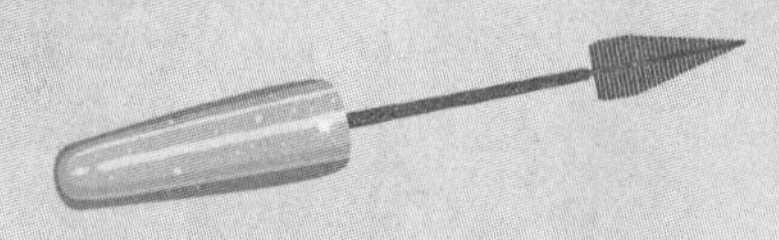

« J'aurais préféré que tu m'en avertisses, lui ai-je répondu en fronçant les sourcils. N'oublie pas que je ne suis pas censée mettre les pieds en ville. J'aurais pu me passer de toute cette frénésie médiatique. »

Je me suis aussitôt emparé du foulard de soie de Belle pour me cacher le visage.

« Hé, les filles ! Quel est le nom de votre amie ? Pourquoi est-elle si timide ? » nous a interrogé un photographe en s'approchant du carrosse.

« Ne fais pas attention à elle, lui a répondu Blanche-Neige en se levant et en posant pour la caméra. Concentre-toi plutôt sur moi et mon profil gauche. »

Je croisais les doigts pour atteindre le château du roi avant d'être découverte, mais une bourrasque de vent a soulevé mon foulard au moment où nous passions devant le parc Ilsvécurentheureuxeteurentbeaucoupdenfants. À mon grand désarroi, Boucle d'or était en train de pique-niquer avec Cendrillon et Balthazar.

« Oh ! Mais c'est la fée Carabosse ! » s'est-elle écriée en me pointant du doigt. Les paparazzis et les habitants de Livredecontes qui erraient dans les environs se sont aussitôt lancés à la poursuite de

notre carrosse, piqués par la curiosité et anxieux de découvrir la raison qui me poussait à défier les ordres du roi.

Sitôt arrivée au château, je me suis empressée de me réfugier dans le grand hall pour être à l'abri des regards indiscrets. Belle est allée aussitôt prévenir son père de ma présence, tandis que Blanche-Neige posait toujours dans la cour.

Mes mains tremblaient, car j'appréhendais beaucoup la réaction du roi. Selon ce que j'avais cru comprendre, il était fermé à l'idée de me voir réintégrer Livredecontes, alors j'imaginais bien sa réticence à me laisser partir en forêt avec sa fille.

Mes doutes se sont confirmés quand j'ai entendu le roi gronder au loin.

« QUOI ? Comment cette fée de malheur a-t-elle remis les pieds ici ? À cause de TOI ? Tu es bien imprudente, ma chérie ! C'est cette même fée qui a tenté de t'assassiner à ta naissance ! »

« Oui, mais les choses ont changé, papa. Carabosse n'est plus la même. Je lui ai pardonnée. Qui plus est, c'est la seule qui peut m'aider à guérir ! »

« Tu n'es pas malade, ma puce. Tu es simplement fatiguée… »

« Non, papa ! Bleutée et Carabosse m'ont affirmé que quelqu'un m'avait jeté un autre sort. Je dois trouver une potion magique pour m'en sortir ! »

« Ces chipies ne cherchent qu'à se disculper de leurs mauvaises actions en te faisant croire que quelqu'un d'autre est impliqué. Tu es bien naïve, ma chérie. »

BOUM !

J'ai entendu un bruit sourd, suivi des cris du roi.

« Ma chérie, que se passe-t-il ? À l'aide, quelqu'un ! Ma fille a perdu connaissance ! »

Je me suis précipitée vers le salon où le roi était agenouillé auprès de sa fille. J'ai remarqué que Belle s'était endormie et ronflait bruyamment.

« Elle n'a pas perdu connaissance, Votre Majesté. Belle s'est endormie soudainement. C'est la conséquence du sort qu'on lui a jeté... »

« Que TU lui as jeté ! Cesse de faire semblant de n'avoir rien à voir dans cette histoire ! »

« Mais Votre Majesté, je vous assure que je n'ai rien à me reprocher ! J'ai eu tort de lancer un sort à votre fille à sa naissance, mais j'ai vraiment changé ! Et je suis ici pour l'aider ! »

« Tut ! Tut ! Ça suffit ! Qu'on la fasse sortir d'ici immédiatement ! » s'est-il écrié en faisant un signe à l'un de ses gardes.

J'ai baissé les yeux et j'ai suivi le serviteur hors du palais. Mes paroles n'arriveraient pas à convaincre le roi de ma bonne volonté. Il me restait l'espoir que mes gestes puissent lui prouver que j'avais bel et bien changé et que je n'avais rien à voir dans le problème de sa fille. J'étais tellement perdue dans mes pensées que je n'ai pas tout de suite remarqué les dizaines de journalistes et de paparazzis qui m'attendaient dans la cour pour me bombarder de questions.

« Qu'est-ce qui vous pousse à revenir en ville ? » m'a demandé Boucle d'or.

« Le roi vous a-t-il enfin accordé son pardon ? » s'est enquis une autre journaliste du *Journal de Livredecontes*.

« Qu'en est-il de Belle ? Certaines rumeurs font état d'une maladie rare qui la fait dormir à tout moment... Avez-vous quelque chose à voir dans sa condition ? » m'a demandé un intervieweur de *L'Écho Livresdecontes*.

« Pourquoi m'as-tu appelé Marcel ! Je m'appelle Pi-no-cchio ! » a crié la marionnette en me pointant du doigt.

« Laissez-la tranquille ! » est intervenue une voix qui m'était familière. Blanche-Neige s'est frayée un chemin dans la foule des curieux en les repoussant de la main.

« Vous voyez bien qu'elle n'est pas habituée à l'attention, ni aux photographes ! Carabosse n'a rien à voir dans toute cette histoire ! Il s'agit d'une amie loyale et je vous prie de respecter son intimité ! »

J'étais très surprise de voir Blanche-Neige se porter ainsi à ma défense. Je lui en étais extrêmement reconnaissante. Elle s'est postée devant moi pour répondre brièvement aux questions des journalistes tout en montrant son plus beau sourire aux caméras, puis elle m'a tirée par le coude.

« Viens ! a-t-elle chuchoté. Il est temps de partir d'ici ! Ma décapotable nous attend à l'arrière ! »

« J'aimerais bien que Pinocchio nous accompagne, lui ai-je répondu. Je lui dois des explications. »

« Très bien, m'a-t-elle dit avant de se tourner vers les journalistes. Hé, oh ! La marionnette ! Tu peux venir avec nous ! »

Pinocchio a regardé autour de lui d'un air confus.

« C'est à toi qu'on parle, tête de bois ! Allez, viens ! Carabosse veut te dire deux mots ! »

Pinocchio s'est joint à nous, et nous nous sommes dirigés vers la ruelle où la décapotable de Blanche-Neige nous attendait.

« Filons vite à la maison avant que les journalistes ne nous rattrapent ! » l'ai-je pressée.

« Attends une minute ! J'ai une surprise pour toi ! » a répliqué Blanche-Neige.

En me retournant, j'ai vu Belle qui escaladait le mur de pierre entourant le palais. Elle a sauté au sol et s'est mise à courir jusqu'à nous.

« Vite ! Allons-y ! » s'est-elle écriée, en prenant place à l'arrière aux côtés de Pinocchio.

Blanche-Neige a démarré en trombe en faisant crisser ses pneus.

« Belle ? Que fais-tu ici ? Je te croyais endormie ! Je pensais que le roi t'avait interdit de te joindre à nous pour cette aventure ! »

« Son opinion n'a pas changé, mais il est temps pour moi de lui désobéir. Tu as voulu bien faire en lui disant la vérité, mais mon père est très entêté et refuse de m'écouter. Quand je me suis réveillée dans mon lit, j'ai immédiatement envoyé un texto à Blanche-Neige pour qu'elle vole à ton secours et pour que vous m'attendiez ici. Même si mon père refuse de voir la vérité en face, j'en ai assez de m'endormir à chaque instant. Il est hors de question que je reste les bras croisés et que je laisse ce handicap ruiner le Grand Bal des couples heureux ! Je pars avec vous, qu'il soit d'accord ou non ! »

« Tu ne crois pas qu'il va se lancer à notre poursuite quand il s'apercevra que tu as disparu ? »

« Non, car je lui ai laissé une note indiquant que je rentrais chez moi. Je lui ai fait croire que mon époux m'attendait, alors qu'en vérité, Prince Sauveur est parti à la pêche avec Beau Prince et Henri ! J'ai donc le champ libre pour quelques jours encore ! Je suis prête à partir à l'aventure avec vous ! » s'est-elle écriée en brandissant le poing.

Pinocchio a aussitôt toussoté.

« Euh ! désolé de vous interrompre, mesdemoiselles. Que se passe-t-il, ici ? De quelle aventure parlez-vous ? Pourquoi suis-je dans une décapotable avec vous, et pourquoi Carabosse s'entête-t-elle à m'appeler Marcel ? »

Blanche-Neige et Belle m'ont regardée d'un drôle d'air. J'ai fait un résumé de la situation à Pinocchio, puis je leur ai raconté que mon aversion de la fricassée de tofu de Reine avait donné naissance au personnage de Marcel.

« Tu aurais dû manger le tofu au lieu de t'enfoncer dans les mensonges, m'a reproché Blanche-Neige en enfilant ses lunettes de soleil et en conduisant vers la maison. Reine m'a dit que le soya faisait des merveilles pour la ligne ! »

« Ouais, mais je n'aime pas le tofu... »

« Alors, pourquoi ne pas leur dire la vérité ? » a insisté Belle.

« Parce que si je leur dis que je n'ai pas de prétendant, elles continueront à me présenter les amis d'Henri, ainsi que tous les célibataires masculins de Livredecontes ! Je préfère qu'elles m'imaginent en couple avec Marcel, plutôt que de me faire rebattre les oreilles de leurs histoires ! Je suis peut-être romantique et naïve, mais je me suis toujours imaginée que l'homme de ma vie apparaîtrait sans que je m'y attende, un peu comme Beau Prince lorsqu'il a sauvé Blanche-Neige, ou Prince Sauveur lorsqu'il t'a embrassée ! Bref, je suis désolée de t'avoir mêlé à tout cela

Pinocchio. J'aimerais t'inviter à dîner à la maison pour me faire pardonner ! »

Pinocchio a accepté mon offre. Blanche-Neige et Belle nous ont déposés devant la maison après m'avoir promis de revenir demain matin à la première heure.

Quand Pinocchio est entré dans la maison, Bleutée était en train de concocter ses délicieux macaronis aux trois fromages.

« Pinocchio, tu te souviens de mon amie Bleutée ? »

Le visage de la marionnette s'est empourpré.

« Je suis ravie de te revoir, Pinocchio. »

« Je... euh... moi aussi », a-t-il bafouillé.

Nous nous sommes installés à table, mais dès que Bleutée s'est mise à parler de Marcel, les choses se sont corsées.

« Il s'agit du nouvel amoureux de Carabosse, a expliqué mon amie à Pinocchio. J'ai tellement hâte de le rencontrer ! On pourrait même organiser un repas avec lui, toi et ton cher Gepetto ! »

« G... gg... ggg... » a bredouillé Pinocchio.

« Pardon ? »

« Je... euh... ouais ! Pourquoi pas. »

Le nez de Pinocchio s'est aussitôt allongé.

« Je suis désolé, nous a-t-il dit en se levant d'un bond. Je... euh... suis enrhumé, et c'est ce qui fait pousser mon nez ! Je ferais mieux d'y aller ! »

Pinocchio est parti sans même se retourner.

« Mais qu'est-ce qui lui prend ? » s'est étonnée Bleutée.

J'ai haussé les épaules en demandant à mon amie de me faire un portrait de ce qui nous attendait lors de notre randonnée dans la nature.

« Nous devrons marcher pendant des heures avant d'atteindre le chalet du cousin de la mère Michel », m'a-t-elle expliqué.

« Je suis sûre qu'ensemble, nous y arriverons », ai-je dit à mon amie en souriant.

« Tu ne veux pas que Marcel nous accompagne ? » m'a-t-elle demandé.

« Euh... Non. Il est absent pour quelques jours... Il est à la pêche. Bon, je vais me coucher », ai-je rapidement ajouté avant de disparaître dans ma chambre sous le regard abasourdi de mon amie.

« Mais qu'est-ce que vous avez tous à me fuir, ce soir ? » s'est-elle écriée.

Je savais que nous cherchions à éviter de parler de ma relation imaginaire avec Marcel !

27 octobre

Nous suivons actuellement le sentier qui longe la rivière Clairdelalune, mais nous avons dû faire une pause puisque Belle avait mal aux pieds. En effet, elle a eu la « brillante » idée de partir avec les pantoufles de verre de Cendrillon.

Lorsqu'elle est arrivée chez moi ce matin, j'ai essayé de la convaincre d'opter pour une paire de chaussures plus confortables, mais sans succès.

« Non, m'a-t-elle dit en croisant les bras. Cendrillon m'a prêté ses pantoufles en me promettant qu'elles me porteraient chance. Il est hors de question que je les enlève ! »

« Mais tu réalises que nous nous apprêtons à marcher plusieurs kilomètres, et que c'est important que tu sois bien chaussée ! »

« Je suis habituée de porter des talons hauts, Carabosse, alors je n'ai aucun souci en ce qui concerne mon confort ! »

Je m'apprêtais à lui répondre, lorsque la mère Michel est arrivée en trombe.

« Carabosse ! Nous avons un problème ! Rose a une indigestion. Je ne crois pas qu'elle puisse se joindre à nous ! Elle dit que la fricassée de tofu

que Reine lui a préparée hier soir n'a pas très bien passé... »

Je n'en doutais pas une minute.

« Hé oh ! Qui ose critiquer ma cuisine ? » a demandé Reine en arrivant à son tour. Elle transportait un sac à dos rempli de victuailles que j'imaginais peu appétissantes.

« Allons, les filles ! Nous n'allons pas nous chamailler pour ça ! Si Rose ne se sent pas d'attaque, il est préférable qu'elle reste ici. Mère Michel, tu veux toujours nous accompagner ? »

« Oui, mais à la condition que je puisse aussi trimballer mon chat Azraël. J'ai tendance à le perdre. Je préfère qu'il reste auprès de moi. »

J'ai soupiré bruyamment. Le voyage ne s'annonçait pas de tout repos.

« Nous devons prendre la route le plus vite possible, a fait Bleutée en enfilant sa veste de chasse. Où est passée Blanche-Neige ? »

« Je suis ici ! J'arrive ! » s'est écriée la princesse en courant vers nous. Elle portait encore sa chemise de nuit en soie, son peignoir et ses pantoufles, mais son visage était maquillé à la perfection et ses cheveux noirs étaient relevés en chignon. Elle avait même pris soin de poser des épingles en diamants dans sa coiffure.

« Désolée, mais je me suis levée en retard et je suis partie tellement vite de chez moi que je n'ai pas pris le temps de m'habiller. »

« Mais tu as pris le temps de te maquiller et de te coiffer ? » a demandé Reine d'un air abasourdi.

« Évidemment, a répondu Blanche-Neige en sortant un tube de crème pour les mains. Dans les cas d'urgence, il faut établir des priorités, et mon visage en est une. Tu devrais le savoir, Reine. Après tout, tu avais l'habitude d'être aussi perfectionniste que moi. »

« Ouais, mais j'ai changé ! Je me fiche des apparences, à présent ! »

« C'est le moins que l'on puisse dire », a répondu Blanche-Neige en la dévisageant de la tête aux pieds.

J'ai décidé d'intervenir avant que le tout dégénère.

« Je vois que tu transportes un immense sac de voyage, alors j'imagine que tu as de quoi te changer ? » me suis-je enquise.

« J'ai quelques trucs, mais j'ai surtout trimballé des crèmes. Avec l'air frais de la nature, les poussières et les... hum... excréments d'animaux sauvages, je crois que j'aurai besoin de tous les types d'hydratation possibles. N'oubliez pas que le Grand Bal des couples heureux approche à grands pas, et que je me dois d'être parfaite pour l'événement. »

Blanche-Neige s'est empressée d'enfiler une longue robe à crinoline rouge et un chemisier blanc à pois.

« Euh ! tu sais qu'on va dans la campagne, n'est-ce pas ? lui ai-je demandé alors qu'elle revenait vers nous. Crois-tu vraiment que ce soit une tenue... appropriée pour ce type d'activité ? »

« Mais évidemment ! m'a-t-elle répondu, l'air très sérieux. J'ai même enfilé des ballerines ! Tu vois, j'ai pensé à tout ! Et dans mon petit sac à main, je transporte une veste en cachemire. Si j'ai froid, je pourrai l'enfiler plutôt que de me plaindre. »

J'ai soupiré de nouveau.

« Et comment comptes-tu transporter cet immense sac de voyage ? » lui a demandé Bleutée en se grattant la tête.

« Oh, ça ? J'ai déjà une solution » a-t-elle fait en claquant des doigts. Pinocchio a alors surgi de derrière un arbre et s'est empressé de prendre le sac.

« Pinocchio ? Tu veux dire que c'est lui, ta solution ? Tu as demandé à cette pauvre marionnette de transporter tous tes effets personnels sur des kilomètres parce que tu n'as pas la volonté de le faire ? Tu ne peux pas lui demander une chose

pareille, Blanche-Neige ! » me suis-je exclamée, furieuse...

« Mais... »

« Tut ! Tut ! Carabosse a raison, est intervenue Bleutée. Je sais que tu es une princesse et que tu crois que tout t'est dû, mais tu ne peux pas demander à Pinocchio de se mettre ainsi en danger et de se plier à tes exigences pour... »

« Eh, oh, est-ce que je peux parler ? » est intervenu Pinocchio d'un ton brusque.

« Euh, bien sûr, Pinocchio. Je te laisse la parole. N'hésite pas à te défendre ! »

« En fait, j'aimerais parler à Carabosse en privé », a-t-il dit en me jetant un coup d'œil.

Je l'ai regardé d'un air curieux, puis je l'ai entraîné dans la maison pour qu'il puisse me confier ce qu'il avait sur le cœur.

« Je ne tiens pas à me défendre, puisque c'est moi qui ai demandé à Blanche-Neige de vous accompagner, m'a-t-il avoué. La vérité, c'est que j'en ai assez de rester enfermé chez moi. Comme tu le sais, Gepetto est très en colère depuis que je lui ai désobéi, et, pour me punir, il m'interdit de sortir de chez moi ! Il s'est d'ailleurs mis dans tous ses états hier soir, parce que j'ai enfreint ses règles en venant manger chez toi. Bref, j'ai envie de partir à l'aventure avec vous et de me dégourdir les jambes. Je me suis dit que, comme tu avais une dette envers moi à cause de l'histoire de Marcel, tu pourrais peut-être appeler Gepetto pour lui expliquer que tu as absolument besoin de moi pour trouver du bois, et que tu aimerais que je t'accompagne quelques jours à l'extérieur de la ville... »

J'ai réfléchi un instant. Je n'aimais pas l'idée de mentir à ce cher Gepetto, mais je n'avais aucune envie que Pinocchio révèle aux habitants de Livredecontes que je m'étais inventé un amoureux.

J'ai souri à la marionnette et je me suis empressée de téléphoner à Gepetto. Il a eu l'air surpris de ma demande, mais il a accepté, en me disant qu'il était fier que son pantin puisse m'être utile et qu'il était content que Pinocchio soit aussi passionné par son métier. Si j'avais eu le nez de Pinocchio, il se serait sans doute mis à allonger.

Nous avons rejoint les autres, et nous nous sommes aussitôt mis en marche. Je dois avouer que je suis contente de pouvoir compter sur six

amis, car je crois que ce Têtu Cabochon est plus redoutable que nous le croyons.

Après avoir fait trempé ses pieds dans un mélange de crème et de lait de chèvre concocté par Blanche-Neige, Belle vient de m'annoncer qu'elle se sentait enfin d'attaque pour reprendre la route !

La mauvaise nouvelle, c'est que nous avons pris du retard, et que nous devrons camper dans les bois ce soir, puisqu'il nous est impossible d'atteindre le chalet du cousin de la mère Michel avant la tombée de la nuit. La bonne nouvelle, c'est que Bleutée et moi avons pensé à apporter quelques bâches et couvertures qui nous permettrons de dormir à l'abri et de rester au chaud. Si seulement j'avais encore mes pouvoirs, je pourrais régler tous nos problèmes en quelques coups de baguette !

28 octobre

Le petit matin arrive. Nous attendons le lever du soleil pour nous remettre en route. J'espère que nous arriverons à avancer aujourd'hui, bien que nous ayons très peu dormi cette nuit. La soirée

avait pourtant bien commencé. Bleutée et moi étions en train d'installer le campement pendant que Pinocchio, Belle et la mère Michel cherchaient du bois pour alimenter le feu. De son côté, Reine nous concoctait des tortillas de blé garnies d'herbes, de noix et de pâté végétarien (beurk !) et Blanche-Neige se nettoyait le visage avec une lingette humide.

« Dis donc, Blanche-Neige, tu ne pourrais pas contribuer plutôt à l'organisation du campement ? » l'a interpellée Bleutée.

« Mais c'est ce que je fais, a répondu Blanche-Neige. Après tout, si je ne me nettoie pas les pores, je risque de les obstruer et de voir apparaître de petits boutons rouges sur mon visage, ce qui causera en moi une attaque de panique qui vous empêchera certainement de fermer l'œil toute la nuit. De plus, je crois que vous serez plus heureux de dormir aux côtés d'une princesse jouissant

d'un teint immaculé plutôt que d'un monstre pustuleux. »

Bleutée et moi l'avons regardée sans dire un mot.

« Et voilà, nous avons terminé ! s'est exclamée la mère Michel en approchant de nous tout en caressant son chat. Je crois que nous avons assez de bois pour tenir pendant des jours ! »

« Et dans le pire des cas, nous pourrons toujours utiliser Pinocchio pour alimenter le feu ! » s'est exclamée Blanche-Neige, pince-sans-rire.

Pinocchio a sursauté et s'est caché derrière un arbre.

« Ça suffit, Blanche-Neige ! s'est écriée Bleutée. J'ai déjà de la difficulté à endurer tes abus contre ce pauvre jeune homme en lui faisant transporter tes pots de crème, sans qu'en plus, tu commences à lui faire peur ! »

« Mais c'est une blague, voyons ! Pinocchio et moi sommes comme les deux doigts de la main ! N'est-ce pas, le pantin ? »

Les jambes de Pinocchio se sont mises à trembler. Heureusement, Reine nous a aussitôt invités à prendre place autour du feu pour partager son repas et pour détendre l'atmosphère. Tandis que

Blanche-Neige, Belle et la mère Michel mordaient avec appétit dans leur sandwich roulé, Pinocchio, Bleutée et moi nous efforcions d'avaler chaque bouchée sans exprimer notre profond dégoût.

« Miam ! c'est délicieux », s'est exclamée Blanche-Neige.

« Mouais... c'est... original, comme goût », ai-je dit en me mordant la joue.

« C'est le moins qu'on puisse dire », a soufflé Bleutée.

« Merci, les amis ! s'est écriée Reine en souriant. Et toi, Pinocchio ? Tu aimes ? »

Mon ami m'a jeté un coup d'œil troublé. Il ne pouvait pas mentir, car il savait que son nez le trahirait, mais il ne voulait pas dire la vérité de peur de lui faire de la peine.

« Regardez ! Un renard ! me suis-je exclamée en pointant l'horizon. Viens, Pinocchio ! Allons l'observer de plus près. »

« Merci d'avoir fait diversion ! m'a dit mon ami lorsque nous nous sommes éloignés du groupe. Mon nez me cause toujours des ennuis ! »

« Et moi, ce sont ces ailes qui me donnent du fil à retordre ! » lui ai-je dit, en réalisant que j'étais coincée entre deux arbustes. Pinocchio m'a aidée à me libérer en riant, et nous avons regagné notre place autour du feu.

Blanche-Neige et Belle ont alors insisté pour nous faire une démonstration des effets de leurs crèmes. Bleutée et moi avons même accepté qu'elles appliquent un masque hydratant sur notre visage. Tant qu'à être coincées dans la nature, aussi bien nettoyer nos pores !

Belle était en train de badigeonner mon visage lorsqu'elle s'est endormie.

« Il vaut mieux l'étendre sous la bâche. Avec un peu de chance, elle dormira pendant le reste de la nuit, ai-je dit aux autres. D'ailleurs, nous ferions mieux de dormir, nous aussi, si nous voulons être en pleine forme demain matin. »

Je m'apprêtais à fermer l'œil lorsque Reine, qui était étendue à ma droite, m'a secouée l'épaule.

« Hé, Carabosse ! As-tu dit à Marcel que tu partais quelques jours ? Sinon, il risque de s'inquiéter. »

« C'est vrai, ça », a ajouté la mère Michel en grattant la tête d'Azraël.

« Euh, non », ai-je répondu en espérant qu'elle cesse de poser des questions.

« Il ne faut jamais disparaître ainsi sans prévenir ton amoureux ! Sinon, il va penser qu'il ne t'intéresse plus ! » s'est exclamée Reine.

« Oh, mais vous vous en faites pour rien, est intervenue Blanche-Neige en s'étirant. Je suis certaine que Marcel est très... compréhensif ! Tu ne crois pas, Pinocchio ? »

« Je... euh... préfère ne pas donner mon opinion, a-t-il répondu en cachant son nez. Je ne connais pas grand-chose à l'amour... »

« Et moi, je préfère changer de sujet et dormir. C'est gentil de vous inquiéter pour moi, les filles, mais je vous assure que je vais bien ! » ai-je dit avant de fermer les yeux.

J'ai finalement réussi à m'endormir, mais un craquement m'a réveillée quelques heures plus

tard. Je me suis redressée et j'ai regardé autour de moi.

« Tu as entendu, toi aussi ? » m'a demandé Pinocchio.

« Oui ! ai-je soufflé tout bas. Qu'est-ce qui a fait ce bruit ? »

« Je crois que ça vient de ma droite, a répondu Bleutée, qui s'était aussi réveillée. Je vais aller jeter un coup d'œil. Pinocchio, tu veux bien venir avec moi ? »

« Euh... Je... mais... » a-t-il bafouillé.

Je voyais bien que mon ami avait très peur, mais il a fini par se lever pour l'accompagner.

Bleutée l'a remercié en souriant, et ils ont disparu dans l'obscurité.

J'ai jeté un coup d'œil aux autres, mais elles dormaient toutes à poings fermés. Même Azraël ronflait bruyamment.

Bleutée et Pinocchio sont revenus quelques minutes plus tard.

« Alors, avez-vous vu quelque chose de suspect ? » me suis-je enquise tout bas.

« Non, mais regarde ce que Pinocchio a trouvé près d'un arbuste, m'a répondu Bleutée en me

tendant une poignée de poils blancs. Crois-tu que ce soit un ours ? »

« Non ! lui ai-je répondu. Les ours blancs n'habitent pas ici. Mais il s'agit peut-être de poils appartenant à Têtu Cabochon. Je n'ai vu aucun portrait de lui dans mes livres, mais je l'imagine bien recouvert d'une fourrure blanche. »

Bleutée a frissonné et Pinocchio s'est mis à trembler.

« Nous devons découvrir qui nous suit ainsi ! » a-t-il dit en claquant des dents.

J'ai acquiescé, puis je me suis étendue quelques minutes en espérant retrouver le sommeil, mais une sorte de grondement en provenance de la forêt nous a tous fait bondir d'un seul coup.

« HEIN ? QUOI ? Que se passe-t-il ? » a demandé Blanche-Neige en soulevant le bandeau qui lui couvrait les yeux.

« Qui est là ? Qui nous menace ? » s'est écriée Reine en brandissant une casserole.

« J'espère que ce n'est pas un animal sauvage qui cherche à s'en prendre à mon chat ! » a ajouté la mère Michel.

Bleutée s'est empressée de faire un résumé de nos découvertes à nos amis, qui se sont approchés

de la masse de poils blancs pour les observer de plus près.

« Nous savons donc qu'il s'agit d'une créature blanche qui pousse des grondements », a dit Pinocchio.

« Je trouve que ça ressemblait davantage à une sorte de ronflement », a fait remarquer Belle.

Nous avons continué à formuler des hypothèses pendant plusieurs minutes, puis Reine s'est occupée de ranimer le feu pour nous réchauffer. Nous nous sommes installés côte à côte sans pouvoir trouver le sommeil. Après le petit-déjeuner, nous devons reprendre la route en direction du lac et du chalet du cousin de la mère Michel. Avec un peu de chance, nous devrions y arriver après le dîner, ce qui nous permettra d'établir un nouveau plan de match pour trouver Têtu Cabochon et enfin mettre la main sur la potion capable de guérir Belle et de me rendre ma liberté.

28 octobre (tard)

Je suis étendue dans l'un des lits de camp du chalet. Je dois avouer qu'après avoir passé plus de trente-six heures dans les bois, je suis contente de pouvoir jouir d'un certain confort. Nous sommes arrivés ici plus tard que prévu, car Belle a cassé l'une des pantoufles de verre de Cendrillon en s'endormant sur le sentier. Heureusement pour elle, Pinocchio a amorti sa chute, mais la pantoufle n'a pas connu autant de chance et a éclaté en morceaux en percutant une roche.

« Zut ! s'est exclamée Belle en se réveillant et en ramassant les morceaux de verre. Je sais à quel point ces pantoufles étaient précieuses aux yeux de Cendrillon ! J'espère qu'elle pourra me pardonner ! »

« Moi, je suis surtout contente que tu sois saine et sauve et que ce ne soit que la pantoufle qui ait écopé, lui ai-je dit en lui prenant le bras. C'est très dangereux de tomber ainsi sans prévenir. Il faut absolument mettre la main sur cette potion avant que tu ne fasses une mauvaise chute ! »

« Pour ce qui est des pantoufles, tu n'as qu'à les remplacer par les chaussures de verre Louis Sutton. Cendrillon n'y verra que du feu » a fait remarquer Blanche-Neige en profitant de notre arrêt pour s'observer dans son miroir que lui tendait Pinocchio.

« Tu as raison ! a répondu Belle en souriant. Le problème est réglé. »

« Euh ! pas tout à fait, a souligné Bleutée. Comment comptes-tu poursuivre ta route sans chaussures ? »

« Beurk ! J'espère que tu ne songes pas à marcher pieds nus, car avec toutes les saletés, les excréments d'animaux et les plantes dégoûtantes qui recouvrent le sol, tu en as pour des années de pédicure avant que tes pieds puissent s'en remettre », s'est exclamée Blanche-Neige d'un ton grave.

« Peut-être que Pinocchio pourrait me transporter sur ses épaules ? » a suggéré Belle en faisant battre ses cils.

« Oh, oui ! C'est une bonne idée ! Après tout, il s'est joint à nous uniquement pour se mettre en forme ! N'est-ce pas, Pinocchio ? » a demandé Blanche-Neige d'un air malicieux

« Euh... Oui... Évidemment », a répondu notre ami. Son nez s'est aussitôt mis à allonger.

« Les filles, ça suffit ! Il est hors de question que notre pauvre pantin transporte Belle sur ses épaules ! Si tu cherches quelque chose à te mettre aux pieds, tu n'as qu'à enfiler les ballerines de Blanche-Neige ! »

« Oh que non ! Mes ballerines sont constituées d'un doux mélange de laine de mérinos et de cachemire, et les motifs sont brodés de fils d'or ! Ce n'est pas le genre de mules que l'on enfile pour une randonnée pédestre », s'est opposée celle-ci.

« Désolée, Blanche-Neige, mais tu es la seule ayant pensé à apporter une paire de chaussures de rechange. Je me fiche qu'elles soient faites de diamants et d'or ; Belle les enfilera, un point c'est tout ! J'en ai assez de m'arrêter à tout bout de champ pour des caprices ! »

« Mais... »

« Tut ! Tut ! Pas de mais ! Tout le monde doit y mettre du sien si nous voulons atteindre notre but ! N'est-ce pas, Pinocchio ? »

Pinocchio s'est mis à rougir tandis que Belle enfilait les somptueuses pantoufles sous le regard indigné de son amie.

Nous avons continué à marcher jusqu'au petit sentier menant au lac.

« Le chalet de mon cousin est tout près ! » s'est exclamée la mère Michel en courant aux côtés d'Azraël.

Nous sommes finalement arrivés devant une jolie petite maison peinte en rouge avec une grande véranda qui s'ouvre directement sur le lac. Le chalet compte deux chambres avec deux lits superposés chacune. La mère Michel et Azraël se sont installés avec Belle et Blanche-Neige, mais leur cohabitation n'a pas duré plus de cinq minutes.

« Bas les pattes, le félin ! Pas question que tu ailles te rouler sur mes affaires ! » s'est écriée Blanche-Neige.

« Atchoum ! » s'est exclamée Belle.

« En plus, il fait éternuer mon amie. Allons, la mère Michel, il n'y a pas moyen de le laisser dehors ? »

« Il est hors de question que je le laisse errer seul alors qu'une créature poilue et menaçante rôde ! »

« Si c'est comme ça, je refuse de partager une chambre avec toi ! Non seulement ta boule de poils nous cause des allergies, mais en plus, je sens que ce chat me cause des problèmes de peau. Allez, ouste ! »

J'ai changé de place avec la mère Michel avant que la chicane n'éclate davantage. Reine est aussitôt allée fouiner dans les armoires de la cuisine

pour voir si elle ne pouvait pas trouver quelque chose à nous mettre sous la dent.

« Oh ! ton cousin est bien gentil, mère Michel ! Il nous a laissé une tonne de conserves ainsi qu'une petite note pour nous souhaiter la bienvenue ! » s'est-elle écriée.

Bleutée, la mère Michel et moi sommes allées la rejoindre.

Soyez les bienvenus, ma chère cousine et vous tous, ses amis !

Faites comme chez vous et servez-vous sans gêne dans le garde-manger !

À très bientôt.

M.

J'espérais que Reine opte pour des pâtes aux tomates ou pour un simple jambon à l'ananas, mais elle s'est plutôt lancée dans la préparation de tofu rôti aux poireaux et à l'ail. Je suis allée dans ma chambre pour essayer de lire, mais l'odeur était

devenue si insoutenable que j'ai décidé de m'installer dans la véranda. La nuit était déjà tombée, et j'ai allumé quelques bougies pour m'éclairer.

J'essayais d'en apprendre davantage sur ce Têtu Cabochon afin de déterminer où il pouvait se cacher et quelle stratégie nous devrions adopter pour l'approcher lorsqu'une ombre étrange s'est dessinée sur le sentier menant jusqu'à notre chalet. Cela a attiré mon regard. Je suis aussitôt allée me réfugier à l'intérieur.

« Que se passe-t-il ? m'a demandé Bleutée. On dirait que tu as vu un fantôme ! »

« En fait, c'est peut-être le cas... J'ai vu une ombre sur le sentier. Je crois que quelqu'un rôde autour du chalet ! »

« Je vais aller voir », nous a annoncé Pinocchio d'une voix chancelante en s'emparant d'une lampe de poche.

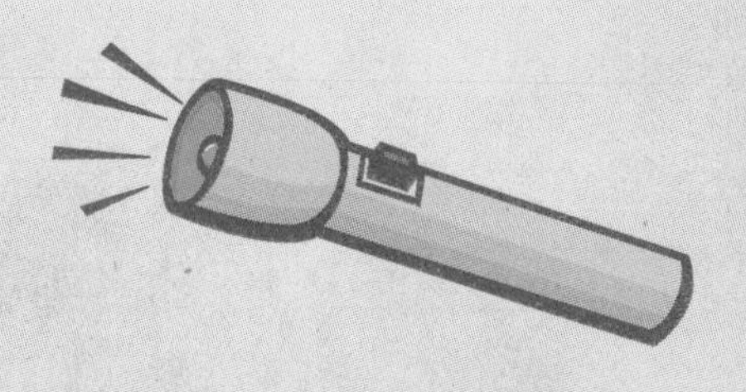

« Tu es sûr ? lui ai-je demandé. J'ai promis à Gepetto de veiller sur toi, et je ne voudrais surtout pas qu'il t'arrive quelque chose... »

« Ne t'en fais pas pour moi ! a lancé Pinocchio sur un ton ferme. C'est à mon tour de foncer et de vous prouver que je suis courageux ! »

Nous nous sommes aussitôt blotties les unes contre les autres, près de la fenêtre, pour surveiller ce qui se passait à l'extérieur. J'ai pris soin d'éteindre les lumières et j'ai observé Pinocchio qui s'avançait sur le sentier. Il tremblait tellement qu'on entendait les claquements de ses membres en bois jusqu'à l'intérieur du chalet.

J'ai vu notre ami s'arrêter et se pencher pour ramasser quelque chose qui traînait sur le sol. Il a relevé la tête et a regardé droit devant lui. Il a orienté le faisceau de sa lampe de poche vers les profondeurs des bois tout en plissant les yeux, puis il s'est mis à hurler.

« AHHH ! Il y a quelqu'un sur le sentier ! À l'aide ! »

Il s'est précipité vers le chalet, a verrouillé la porte derrière lui et s'est blotti contre nous.

« Que se passe-t-il ? lui ai-je demandé. Qu'est-ce que tu as vu ? »

« J'ai… J'ai… trouvé ceci par terre ! a-t-il bafouillé en brandissant une autre poignée de poils blancs. Quand j'ai éclairé le sentier, j'ai vu quelqu'un s'enfuir ! »

« À quoi ressemblait-il ? l'a questionné Bleutée. Crois-tu qu'il s'agissait d'un être humain ou d'un monstre ? »

« C'est difficile à dire, a répondu Pinocchio. J'ai vu qu'il portait une sorte de chapeau et qu'il avait un gros nez… Apparemment, il est couvert de poils blancs ! »

« OH, NON ! s'est écriée Belle. Ta description correspond à la créature que j'ai vue lorsque Rose m'a hypnotisée ! Je crois qu'il s'agit de la personne qui m'a jeté un sort. Elle est venue jusqu'ici pour s'assurer que je ne mette jamais la main sur la potion ! »

« Il ne faut pas sauter trop vite aux conclusions, ai-je tenté de la rassurer. Après tout, il se pourrait très bien que ce soit Têtu Cabochon qui rôde autour de notre chalet ! »

« Et si c'était Têtu qui lui avait jeté un sort ?! » s'est exclamé Pinocchio en écarquillant les yeux.

« Si c'est le cas, ce sera encore plus difficile de le convaincre de me donner la potion qui pourrait me guérir », a répondu Belle en retenant ses larmes.

« Ne t'en fais pas avec le Cabochon, a déclaré Blanche-Neige en s'asseyant sur une chaise pour entreprendre de se limer les ongles. Je suis certaine que j'arriverai à le charmer et à obtenir ce que je désire. »

« Il se peut que ce Têtu Cabochon tente de nous effrayer, ou alors il s'agit d'un autre individu dont nous ignorons l'identité, qui se serait lancé à nos trousses », ai-je résumé tout bas. Il faut absolument faire la lumière sur cette histoire.

Même si cet incident m'avait coupé l'appétit, je n'ai pas osé refuser l'assiette que Reine me tendait. Son plat avait aussi mauvais goût que l'odeur qu'il dégageait. Un mélange de navet, de brocoli, de chou et de radis pourris !

« Quant à moi, je n'hésiterai pas à sortir mon rouleau à pâtisserie et à lui dire de quel bois je me chauffe, nous a-t-elle dit en prenant place à table.

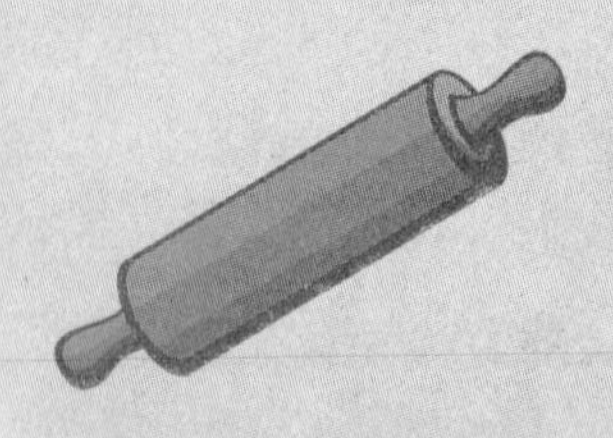

J'ai l'habitude des monstres et des créatures intimidantes. Je vous promets qu'on s'en sortira tous sains et saufs, et avec cette fameuse potion ! »

Belle lui a souri, puis elle s'est effondrée sur le sol, plongée tout à coup dans un profond sommeil. Pinocchio, Bleutée et moi l'avons transportée jusqu'à son lit.

« Quelle chance ! a soufflé Bleutée. Moi aussi, j'aurais préféré m'endormir plutôt que d'être forcée d'avaler le ragoût de légumes puant que nous a concocté Reine ! »

Belle a aussitôt ouvert les yeux et nous a fait un clin d'œil complice en posant un doigt sur sa bouche pour nous intimer le silence. Ainsi, elle avait fait semblant de s'endormir pour éviter de manger le repas de Reine ! Pinocchio et moi avons étouffé un rire.

« Merci d'avoir eu le courage d'affronter notre ennemi, ai-je dit à Pinocchio sur un ton reconnaissant, en refermant la porte de la chambre de Belle. Tu as fait preuve d'une grande bravoure ! »

« Merci ! Il a souri en baissant les yeux. J'espérais justement apprendre à faire preuve de courage lors de cette aventure. Je te remercie de m'en avoir donné l'occasion, Carabosse. »

J'ai posé une main sur l'épaule de bois de mon ami, puis je suis allée rejoindre les autres, pour m'efforcer de terminer mon assiette sans que Reine réalise que chaque bouchée me donnait la nausée.

Après le repas, je suis allée m'étendre. Je vais maintenant essayer de dormir afin d'être en pleine forme demain. J'espère que nous serons enfin en mesure de lever le voile sur le mystère entourant les poils blancs, et que nous pourrons trouver Têtu Cabochon et mettre la main sur la potion avant qu'il ne soit trop tard !

29 octobre

Ce matin, ce sont les cris stridents de la mère Michel qui m'ont extirpée de mon sommeil.

« À L'AIDE !! Quelqu'un a volé mon chat ! » a-t-elle hurlé en sanglotant.

« Que se passe-t-il ? » l'a interrogée Reine alors que nous accourions vers la véranda.

« Azraël a disparu ! À mon réveil, il n'était plus à mes côtés. Quand je suis arrivée ici, j'ai remarqué que la porte de la véranda était entrouverte ! Quelqu'un est entré dans la maison pour le kidnapper ! Il faut vite se lancer à sa recherche ! »

« Mais qu'est-ce qui fait tout ce vacarme ? » a bougonné Blanche-Neige en apparaissant devant nous, dans son pyjama de soie rouge.

« C'est mon chat ! s'est écriée la mère Michel en sanglotant. Quelqu'un l'a volé ! Ce doit être ce même inconnu qui rôdait sur le sentier, hier soir ! Au fond, tout ce qu'il voulait, c'était s'en prendre à mon pauvre Azraël ! »

« QUOI ? Vous faites tout ce bruit simplement parce que ta boule de poils a disparu ?! Si tu veux mon avis, je pense que c'est un bon débarras ! Il passait son temps à miauler ! »

« Comment peux-tu dire une chose pareille ?! »

J'ai vu les yeux de la mère Michel se durcir, et je me suis empressée de faire un signe à Blanche-Neige pour l'inviter à s'excuser.

« Bon, ça va ! a-t-elle soupiré. Je ne voulais pas te blesser, mère Michel, mais tu sais qu'entre ton félin et moi, ça n'a jamais été le grand amour. »

« Hum, c'est vrai, ça. Tu criais sans cesse pour qu'il dégage ! À bien y penser, ça ne m'étonnerait pas que ce soit toi qui l'aies laissé s'enfuir ! » s'est exclamée la mère Michel avec un air suspicieux.

« Tu me connais bien mal, a répondu Blanche-Neige sur la défensive. Je n'oserais jamais toucher à ce sac à puces ! »

Tout à coup, nous avons entendu des craquements à l'arrière du chalet.

« Quel est ce bruit ? » a demandé Reine en brandissant sa spatule.

« C'est peut-être le chat de la mère Michel qui se balade tout près ! » me suis-je exclamée, avant d'aller vérifier la source du bruit.

Mais c'est plutôt Belle que j'ai trouvée étendue sur le sol en train de dormir profondément.

« Mais qu'est-ce qu'elle fait ici ? Pourquoi dort-elle dehors ? »

« Je n'en sais rien ! a soupiré Reine. Mais n'oubliez pas les conseils de Rose : c'est important d'attendre qu'elle se réveille d'elle-même avant de la bombarder de questions… »

« HÉ ! OH ! BELLE ! RÉVEILLE-TOI ! s'est écriée Blanche-Neige en la secouant. Qu'est-ce que tu fiches ici, couchée parmi les insectes et les saletés ? Ce n'est pas un comportement digne d'une princesse ! Sans compter que tu portes encore mes ballerines. Il est hors de question que tu les ruines comme les souliers de verre de Cendrillon.

Non, mais ! Tu pourrais faire attention aux effets personnels des autres, non ? »

Belle nous a regardés d'un air abasourdi.

« Hein ? Où suis-je ? » s'est-elle interrogée d'un air confus.

« On vient de te retrouver étendue entre les arbustes qui longent le chalet ! lui ai-je répondu. Sais-tu comment tu t'es rendue jusqu'ici ? »

« Non, je ne me souviens de rien », a-t-elle soufflé en se frottant la tête.

« C'est de ta faute, Blanche-Neige ! a crié Reine d'un ton furieux. Je t'avais prévenue de ne pas la réveiller aussi subitement ! À cause de toi, elle ne se souvient de rien. »

« Belle, dis-moi au moins que tu te souviens d'avoir vu mon chat Azraël ! » lui a dit la mère Michel, désespérée.

« Non. Pourquoi aurais-je vu ton chat ? » s'est étonnée Belle.

« Parce que c'est la mère Michel qui a perdu son chat », a expliqué Reine.

« Et qui a crié à la fenêtre à qui le lui rendra », a ajouté Bleutée.

« Et c'est moi, l'eusses-tu crû, qui lui ai répondu : allez, la mère Michel, votre chat n'est pas perdu », ai-je complété.

« Sur l'air du tra, la, la, la, sur l'air du tra, la, la, la, sur l'air du tra déridéra et tra, la, la ! » avons-nous toutes fredonné en chœur.

Belle nous a regardés avec des yeux de merlan frit, tandis que Blanche-Neige se grattait la tête, visiblement de plus en plus confuse.

« Il me semble avoir déjà entendu cette comptine quelque part… » a-t-elle soufflé.

« Donc, si je comprends bien, ton chat n'est pas perdu ? » a demandé Belle à la mère Michel.

« Non, car je crois qu'on me l'a volé. La porte de la véranda était entrouverte, et même si mon chat est extrêmement vif d'esprit, je ne crois pas qu'il soit capable de sauter dans les airs et de faire tourner la poignée d'une porte. »

« Oh, non ! s'est exclamée Belle en devenant blême. Ça me revient, maintenant ! Mère Michel,

je crois que c'est moi qui suis responsable de la disparition de ton chat ! Ce matin à l'aube, j'ai encore entendu des ronflements à l'extérieur. Je suis sortie dans la véranda pour en connaître l'origine. Je crois que j'ai oublié de refermer la porte derrière moi ! Azraël a dû se faufiler sans que je m'en aperçoive ! Je suis désolée ! Je te promets de t'aider à le retrouver ! »

« Oh, non ! s'est écriée la mère Michel en se jetant dans les bras de Pinocchio pour éclater en sanglots. Et si les monstres de la forêt l'attrapaient et le dévoraient avant que nous puissions le retrouver ?! Je ne m'en remettrais jamais ! Mon pauvre Azraëlllll ! »

« Ne t'en fais pas, mère Michel ! Nous allons le retrouver ! » a tenté de la consoler Pinocchio.

« Belle, te souviens-tu d'avoir vu quelque chose de suspect à l'extérieur ? » l'ai-je questionnée.

« Oui ! Une ombre près du chalet. Un homme de petite taille portant une barbe et une sorte de bonnet. Je confirme que c'est le même individu que j'ai vu sous hypnose ! Je me suis avancée sur la pointe des pieds pour le surprendre, mais c'est à ce moment-là que je me suis endormie ! »

Nous avons raccompagné Belle à l'intérieur et cette dernière s'est empressée de prendre un bain et de se couvrir de plusieurs couches de crème. J'ai, quant à moi, annoncé à mes amis que je partais en expédition afin de trouver Têtu Cabochon. Il ne reste que deux jours avant la peine lune, et le temps presse. Nous devons mettre la main sur la potion qui guérira Belle et me permettra de réintégrer Livredecontes.

Bleutée, Reine et Pinocchio ont offert de m'accompagner pendant que Belle et la mère Michel se lanceraient à la recherche de son chat. Blanche-Neige devrait « monter la garde » au chalet (ce qui veut dire qu'elle en profitera pour se reposer et se prélasser au soleil). J'espère que de notre côté, la journée se révélera fructueuse.

30 octobre, avant l'aube

On peut dire que les nuits sont de plus en plus mouvementées. Je dors de moins en moins depuis le début de cette aventure.

Après notre longue promenade d'hier, nous nous apprêtions à rentrer bredouilles, puisque, même si mon livre m'avait indiqué que Têtu

Cabochon aimait les endroits sombres et humides, nous ne l'avions trouvé nulle part. Pinocchio et Bleutée avaient exploré tous les recoins près du lac, tandis que Reine et moi avions fouillé les grottes et les cachettes secrètes dans le boisé. Ce n'est qu'en revenant vers le chalet que quelque chose a attiré mon attention. Une petite couverture et un oreiller reposaient sous le pin situé à une vingtaine de mètres de notre demeure.

« On dirait que quelqu'un a dormi ici ! » s'est exclamée Reine en s'emparant de l'oreiller.

« Il s'agit peut-être de Monsieur Cabochon ! Ça expliquerait pourquoi il ne se trouvait nulle part ailleurs ! »

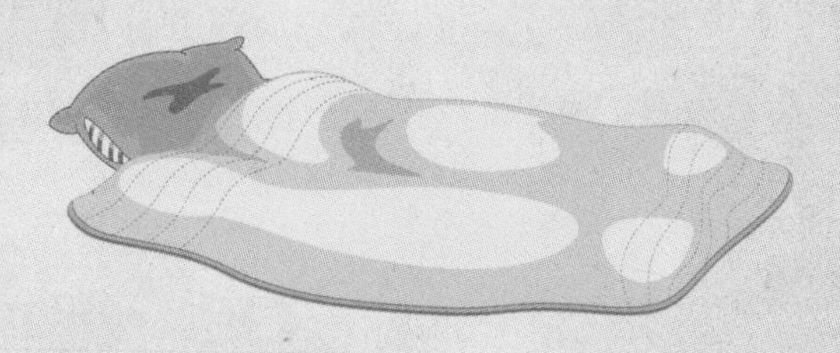

« Regardez ! s'est écrié Pinocchio en soulevant un poil blanc dans les airs. Je ne sais pas s'il s'agit de Têtu ou d'un autre suspect, mais ce poil est identique à ceux que nous avons trouvés auparavant ! »

« J'ai une idée ! ai-je murmuré. Le mieux est de laisser l'endroit intact et de revenir une fois la nuit tombée ! Je pourrai me faufiler jusqu'ici pour surprendre la créature qui dort sous cet arbre et lui demander pourquoi elle nous suit partout ! Nous pourrons aussi enfin découvrir s'il s'agit de Têtu Cabochon ou d'un autre individu qui cherche à nous compliquer la tâche ! »

« Excellente idée ! s'est exclamée Bleutée. Pendant ce temps, Pinocchio et moi monterons la garde près de la véranda pour intervenir si tu as des ennuis ! »

Nous avons regagné le chalet en riant. J'avais enfin espoir de faire progresser notre enquête. Nous avons tous partagé un bon repas (Belle et moi avons préparé des brochettes de poulet pour nous éviter un autre plat à base de légumes pourris ou de soya fermenté), puis j'ai passé une partie de la nuit à écouter de vieux épisodes de *CSI Livredecontes* tandis que mes camarades se reposaient dans leur chambre. Même si je sais qu'il faut reprendre des forces, j'ai été incapable de fermer l'œil de la nuit. J'ai trop hâte de découvrir qui dort si près de notre refuge.

Bleutée et Pinocchio viennent de se lever, et l'heure est maintenant venue de foncer et de lever le voile sur la mystérieuse créature à fourrure blanche. J'espère m'en sortir indemne pour pouvoir relater la fin de cette folle aventure.

30 octobre (plus tard)

Pinocchio et Bleutée se sont installés discrètement près la véranda, tandis que je m'avançais à pas de loup vers l'endroit où nous avions aperçu la couverture et l'oreiller. Il faisait très sombre, mais comme la lune était presque pleine, sa lueur permettait d'éclairer mes pas. J'ai d'abord entendu des ronflements tout près du pin où l'inconnu s'était à nouveau installé pour dormir. J'ai plissé les yeux pour essayer d'identifier la créature qui dormait profondément, mais à mon grand désarroi, son visage était complètement caché sous la couverture. Je me suis avancée sur la pointe des pieds jusqu'à ce que seulement quelques centimètres me séparent de la lui. J'ai soulevé la couverture très doucement, et deux grands yeux noirs ont croisé les miens.

« AHHHH ! me suis-je écriée en reculant. La créature était réveillée ! »

Bleutée et Pinocchio se sont précipités à mes côtés, tandis que je braquais ma lampe de poche sur le visage de l'inconnu.

« DORMEUR ? me suis-je écriée en apercevant le nain qui s'était redressé sous le pin. Que fais-tu ici ? »

« Je le reconnais ! C'est LUI ! s'est aussitôt exclamée Belle en arrivant derrière moi en compagnie de Blanche-Neige. C'est Dormeur que j'ai vu lorsque Rose m'a hypnotisée. C'est lui qui m'a jeté un sort pendant que j'étais plongée dans mon profond sommeil ! »

« Et ce sont les poils blancs de sa barbe que nous avons retrouvés un peu partout dans la forêt ! » a ajouté Pinocchio.

« Dormeur, est-ce vrai ? » l'ai-je interrogé en écarquillant les yeux. Est-ce toi qui as jeté un sort à Belle ? »

Le nain a baissé les yeux, puis il s'est lancé dans un récit détaillé.

« Oui, c'est moi. Belle dormait déjà depuis plusieurs mois quand j'ai surpris une conversation entre Beau Prince et son ami Prince Sauveur.

Celui-ci disait qu'il était amoureux de la jolie princesse endormie. Il voulait lui donner un baiser pour qu'elle se réveille et qu'il puisse l'épouser. La vérité, c'est que je trouvais ça injuste qu'elle puisse guérir aussi facilement, alors que moi, j'étais coincé avec un problème de sommeil depuis ma naissance... »

« Mais je croyais que ce n'était que de la paresse ! » me suis-je exclamée.

« C'est vrai que j'aime dormir, mais pas au point de sommeiller partout où je vais, ni de ronfler à en faire trembler les murs ! J'en ai assez de m'endormir un peu partout. Je me suis dit que si Belle souffrait de la même maladie que moi, elle pourrait m'aider à trouver un remède qui puisse nous guérir. C'est pour cette raison que j'ai volé le grimoire de l'une des fées marraines et que je lui ai jeté un sort. Je réalise que j'ai eu tort. Je m'excuse de t'avoir causé autant d'ennuis, Belle. »

Belle s'est approchée de Dormeur et elle lui a pris la main en souriant.

« Les fées m'ont transmis le don de pardonner à ceux qui commettent des erreurs. Je sais que tu cherchais simplement à ce que je te vienne en aide. Tu n'as tout simplement pas réfléchi aux conséquences de ton mauvais sort, alors je te pardonne ! »

« Merci, Belle. Je ne m'attendais pas à ce que tu me comprennes autant... Je suis si ému par ta bonté et ton sourire... »

« Tu sais, Dormeur, nul n'a plus besoin d'un sourire que celui qui n'en a plus à offrir. »

« Et le sourire que tu envoies revient vers toi », a ajouté Bleutée.

« Un sourire ne coûte rien, mais il rapporte beaucoup ; il enrichit celui qui le reçoit sans appauvrir celui qui le donne », ai-je renchéri en me rappelant les sages paroles des fées marraines.

Dormeur nous a regardées sans comprendre.

« Encore un cauchemar », a soufflé Blanche-Neige en se massant le front.

« Ce que je veux dire, c'est qu'un ami, c'est un être qui ne doute jamais de vous, qui ne vous demande rien et qui est prêt à tout vous donner. C'est un cœur large qui oublie et qui pardonne. Un ami, c'est une perle au fond des mers », a ajouté Belle.

Dormeur a essuyé une larme.

« Alors, tu es une vraie amie. »

« Oui. Et moi, je suis aussi contente de pouvoir compter sur un ami tel que toi qui comprend mon problème. J'espère que tu pourras m'aider à mettre la main sur la potion qui pourra nous guérir ! »

Dormeur et Belle ont échangé un regard avant d'éclater en sanglots.

« Bon, ça suffit, les larmes ! est intervenue Blanche-Neige. C'est très touchant, votre réconciliation, mais nous ne sommes pas plus avancés dans la quête de la potion ! Et je vous répète qu'on doit faire vite. Le Grand Bal des couples heureux approche à grands pas et je dois vite rentrer chez moi. J'ai des retouches à faire à ma robe, et je veux préparer cette recette de crème à base de choux que m'a envoyée Cendrillon, pour avoir le teint éclatant lors de cette soirée. Je ne voudrais pas non plus que Beau Prince soit déprimé s'il rentre de son voyage de pêche avant moi. Le problème, c'est qu'il ne supporte pas d'être à la maison sans pouvoir contempler mon superbe visage. C'est entre autres pour cette raison que j'ai mis mes portraits aux quatre coins du château ! Je me suis dit qu'ainsi, il pourrait m'admirer à tout moment ! Mais comme il n'est pas très futé, il lui arrive parfois de se tromper et de passer sa soirée en présence d'une statue de pierre ou d'une sculpture en cire, plutôt que d'être avec moi... »

« ... »

Un ange a passé.

« C'est très intéressant, Blanche-Neige, mais pour en revenir à la potion, c'est vrai que nous ne sommes pas très avancés. Nous savons qu'une créature appelée Têtu Cabochon l'a en sa possession, mais nous n'avons aucune idée de l'endroit où elle se trouve... »

« Je sais où est Têtu ! s'est exclamé Dormeur. J'ai fait sa rencontre hier en me baladant dans les environs. Il habite dans une grotte située à l'arrière d'une chute de la rivière Clairdelalune ! Quand je l'ai vu, il caressait un petit chat qu'il appelait affectueusement "Mon précieux"... »

« Oh ! Ce doit être le chat de la mère Michel ! a commenté Bleutée. Il faut vite aller à sa rencontre ! Le soleil commence à se lever. Il ne reste plus que quelques heures avant l'arrivée de la pleine lune ! »

« Je suis d'accord avec toi, Bleutée ! Il vaut mieux se mettre en route immédiatement, ai-je acquiescé. Mais je crois qu'il est préférable d'y aller en petit nombre. Je crains que Monsieur

Cabochon ne réagisse pas très bien en apercevant huit inconnus se pointer devant chez lui ! Je propose qu'on laisse la mère Michel et Reine dormir. »

« Si cela ne vous dérange pas, j'aimerais bien rester au chalet, moi aussi. Ça ne me dit pas trop d'affronter un monstre trapu ! s'est excusée Blanche-Neige. Et j'ai beaucoup de sommeil à rattraper, si je veux avoir un teint immaculé pour le bal. »

« D'accord. Blanche-Neige, Pinocchio, Reine et la mère Michel, vous resterez ici, tandis que Bleutée, Belle, Dormeur et moi irons à la recherche de Têtu Cabochon », ai-je conclu.

« Soyez prudents, mes amis ! » nous a recommandé Pinocchio en tremblotant.

Nous avons dit au revoir à nos amis, puis nous nous sommes mis en route. Après plusieurs heures de marche, nous avons finalement atteint la cascade de la rivière Clairdelalune. Le courant était assez fort. Je voyais difficilement comment nous pourrions nous faufiler jusqu'à la grotte de Têtu Cabochon.

« Quand j'ai rencontré monsieur Cabochon, il était assis sur ce rocher. Il caressait le chat de la mère Michel, a expliqué Dormeur. Comme je ne le

vois nulle part, j'en déduis qu'il doit s'être réfugié dans sa grotte. Comment faire pour le rejoindre ? »

« J'ai une idée ! nous a dit Belle. Nous pouvons trouver un grand morceau de bois et le déposer dans l'eau pour nous rendre jusqu'à l'arrière de la chute, et ainsi atteindre son repaire ! »

« C'est une très bonne idée », l'ai-je félicitée.

Mes amis et moi avons trouvé une grosse souche dans le boisé, près de la rivière. Dormeur l'a soulevé dans les airs sans difficulté.

« Tu es très fort », ai-je remarqué, impressionnée.

« À force de travailler dans la mine, les autres nains et moi avons fortifié nos muscles, m'a-t-il répondu en faisant bomber son biceps. Et si on chantait une comptine pour nous encourager à travailler ? Suivez mon rythme ! :

On transporte le bois tic tac, tic tac, tic tac
Près de la rivière Clairdelalune !
On force tic tac, tic tac, tic tac
Jusqu'à la rivière Clairdelalune.
Heigh-ho, heigh-ho !
On transporte un bouleau.
La, la, la, la, la, la, la la
Heigh-ho, heigh-ho !
Un gros morceau de bouleau ! »

Nous avons chanté en chœur tout en nous déhanchant sur la rive.

« Hé ! Ça suffit ce vacarme ! » s'est écriée une créature en surgissant de derrière la cascade.

« C'est Têtu Cabochon ! ai-je murmuré. Apparemment, nous n'avions qu'à chanter pour le faire sortir de sa cachette. »

« Bonjour, mon ami ! C'est moi, Dormeur ! On s'est croisés hier alors que tu étais en train de caresser ton chat. »

« Mon précieux ! » a hurlé Têtu en tenant Azraël dans ses bras.

« Miaou ! » s'est écrié le chat d'un ton horrifié.

« Rendez-moi mon chat ! » a aussitôt crié la mère Michel en apparaissant derrière nous.

« Que fais-tu ici ? » lui ai-je demandé alors.

« Quand Blanche-Neige et Pinocchio m'ont raconté ce qui s'était passé cette nuit et qu'ils m'ont avoué que ce monstre crapuleux s'était emparé de mon cher Azraël, je me suis lancée à vos trousses pour vous aider à le récupérer. »

« En fait, nous sommes plutôt ici pour mettre la main sur la potion, lui a répondu Dormeur. Si ce pauvre monstre aime tant son chat, nous pourrions peut-être le lui laisser… »

« Mais ce n'est pas SON chat, c'est MON chat. »

« Mon précieux, mon trésor ! » a poursuivi Têtu Cabochon en s'avançant vers nous.

« Ça suffit, l'ermite ! Ce n'est ni VOTRE précieux, ni VOTRE trésor : c'est MON Azraël ! » s'est insurgée la mère Michel.

« Bon, bon… Il y a certainement moyen de s'arranger ! a dit Dormeur en s'avançant vers la créature. Écoutez, Monsieur Cabochon, nous sommes surtout ici parce que mon amie et moi souffrons d'un grave problème de sommeil. Comme vous êtes le seul à posséder le remède pour nous guérir, nous espérions que vous ayez l'obligeance de nous l'offrir… »

« Tu parles de la fiole ? » a fait Têtu en brandissant un flacon contenant un liquide violet.

« Oui, c'est ça ! La fiole ! Pourriez-vous nous la donner, s'il vous plaît ? »

« Et je veux aussi que vous me rendiez mon chat ! » a ajouté la mère Michel.

« Miaou. »

« Têtu ne vous donnera la fiole que s'il peut garder le chat », a répondu la créature en fronçant les sourcils.

« Mais Monsieur Cabochon, mon amie est très attachée à son félin. En fait, il l'accompagne partout où elle va... » ai-je commencé.

« Pas de fiole sans le chat », a répété la créature entêtée.

Je me suis retournée et j'ai aperçu Belle qui s'était endormie sur un rocher. Ses bras flottaient sur l'eau et son corps menaçait d'être emporté par le courant à tout moment.

« Il faut faire vite ! Belle est en danger ! » a hurlé Pinocchio en sautant de pierre en pierre pour venir en aide à notre amie.

« Très bien ! Donne-nous la fiole, sac à puces ! s'est agacée la mère Michel en retenant ses larmes. Tu peux garder le chat ! »

Têtu m'a tendu la fiole, que j'ai aussitôt lancée à Pinocchio. Celui-ci s'est empressé de se rendre jusqu'à Belle avant qu'elle ne soit emportée par le torrent. Il a versé quelques gouttes de potion

dans la bouche de Belle. Elle s'est réveillée instantanément.

« À l'aide ! » a-t-elle rugi, en réalisant que son corps flottait à demi dans l'eau.

Pinocchio a tiré de toutes ses forces pour la ramener sur le rocher, mais ses membres en bois étaient trop frêles pour la secourir.

« Tiens bon ! J'arrive ! » s'est exclamé Dormeur en plongeant. Il a aussitôt agrippé Belle d'une main et l'a ramenée sur le rivage en deux temps trois mouvements.

« Merci de m'avoir secourue, Dormeur ! À présent, bois un peu de cette potion ! Tu l'as grandement méritée ! »

Dormeur a versé quelques gouttes dans sa bouche.

« Je n'ai plus sommeil pour la première fois depuis ma naissance ! » a-t-il remarqué joyeusement.

« MIAOU ! »

« AU SECOURS ! »

Je me suis retournée vers la rivière. La mère Michel était en train de se chamailler avec Têtu pour récupérer mon chat.

« C'est MON chat ! »

« Non, c'est MON précieux ! »

« MIAOU ! »

Le chat s'est mis à se débattre dans les bras de Têtu. Après s'être défait de l'étreinte de la créature, il a bondi dans les airs et a atterri directement dans l'eau.

« Azraël ! Il est à l'eau et je ne sais pas nager ! Aidez-le ! Je vous en supplie ! » s'est énervée la mère Michel.

J'ai aussitôt plongé dans la rivière pour récupérer le chat. J'ai réussi à l'atteindre et à le déposer sur une pierre, dont la surface était si lisse et si glissante que je n'ai pu m'y agripper pour sortir de l'eau.

Je me suis accrochée à une branche pour éviter de me laisser emporter par le courant, mais les forces me manquaient.

J'ai entendu les cris de mes amis, les miaulements du chat, puis tout est devenu noir.

Lorsque je me suis réveillée, un bel homme que je ne connaissais pas était penché au-dessus de moi.

« C'est bon, elle respire ! » a-t-il annoncé à mes amis. J'ai regardé autour de moi et j'ai réalisé que j'étais étendue sur le bord de la rivière. Bleutée, la mère Michel, Belle et Dormeur me regardaient en souriant, tandis que Azraël ronronnait dans les bras de sa maîtresse.

« Que s'est-il passé ? Qui êtes-vous ? » ai-je demandé au bel inconnu.

« Je m'appelle Marcel. Je suis le cousin de la mère Michel. Quand je suis arrivé au chalet tout à l'heure, vos amies m'ont dit que vous étiez partis à la recherche de Têtu Cabochon près de la rivière. Elles se faisaient du souci pour vous. Je me suis donc empressé de me rendre jusqu'ici pour vous venir en aide. À mon arrivée, vous étiez en train de vous noyer ! Je vous ai sortie de l'eau et je vous ai fait le bouche-à-bouche pour vous ranimer. »

« Vous vous appelez vraiment Marcel ? » l'ai-je interrogé d'un air abasourdi.

« Oui », a-t-il répondu en caressant ma joue.

« Et vous êtes bûcheron ? »

« Oui. »

« Et vous m'avez vraiment fait le bouche-à-bouche pour me sauver la vie ? »

« Oui », a-t-il admis en rougissant.

« Alors, vous êtes mon prince charmant », ai-je murmuré en retenant mes larmes.

« Oui », a-t-il soufflé à son tour en me regardant tendrement. Mes amis m'ont aidée à me redresser. Et nous sommes enfin tranquillement rentrés jusqu'au chalet de Marcel.

Nous avons décidé de passer une dernière nuit sur place pour célébrer la guérison de Belle et de Dormeur et le retour d'Azraël ! J'ai le cœur si léger que j'ai même suggéré à Reine de nous concocter sa célèbre fricassée de tofu pour terminer cette journée en beauté. Maintenant que Marcel est à mes côtés, plus rien ne m'effraie ! Pas même les petits plats de Reine !

« Une fée et un bûcheron… On aura tout vu ! a murmuré Blanche-Neige en levant les yeux au ciel. Un vrai conte de fées ! »

NOVEMBRE

10 novembre

Ce soir a lieu le Grand Bal des couples heureux auquel j'ai l'honneur d'assister en compagnie de mon tendre Marcel. J'y rejoindrai aussi Belle et Prince Sauveur, Blanche-Neige et Beau Prince, Bleutée et Gepetto, ainsi que Dormeur et la mère Michel, qui se fréquentent depuis notre retour.

Quand nous sommes rentrés à Livredecontes au lendemain de notre aventure à la rivière Clairdelalune, le roi a non seulement accepté de nous pardonner et de nous rendre nos pouvoirs féeriques, mais il a aussi tenu à organiser un banquet pour nous remercier d'avoir eu le courage d'affronter Têtu Cabochon et d'être venues en aide à sa fille et à Dormeur.

Pour l'occasion, Gepetto a non seulement permis à Pinocchio de se joindre à nous, mais il a aussi accepté de l'accompagner pour festoyer et pour rendre hommage à son fiston. C'est lors de cette soirée qu'il est tombé sous le charme de mon amie Bleutée. Tous deux filent maintenant le parfait amour. Le bonheur de Gepetto l'a rendu beaucoup moins sévère avec Pinocchio, qui vient maintenant me rendre visite tous les jours !

De mon côté, je suis toujours aux anges avec Marcel. Nous avons même songé à nous installer dans un immense loft situé en face du parc Ilsvécurentheureuxeteurentbeaucoupdenfants. Après toutes ces années passées en pleine nature, je suis prête à réintégrer Livredecontes et à profiter pleinement de cette nouvelle étape de ma vie qui commence aux côtés de mon prince charmant !

FIN

Questions de lecture pour l'enfant

a. Trouve trois références au conte original dans cette histoire.

b. Comment Carabosse parvient-elle finalement par se faire pardonner par le roi ?

c. Nomme les quatre personnages qui vont affronter Têtu Cabochon.

d. Quel est l'animal que Têtu Cabochon tient alors dans ses mains ?

e. Comment s'appelle la fée marraine qui a atténué le sort jeté par la fée Carabosse ?

f. Nomme tous les couples qui sont finalement invités au Grand Bal des couples heureux à la fin du livre.

g. Comment s'appelle le prince charmant de Carabosse ?

Activités entre amis

a. Inventez une comptine pour vous aider à dormir.
b. Faites un portrait de Carabosse, de Bleutée et de Belle.
c. Illustrez la scène que vous avez préférée dans ce livre ! Par exemple, un ami peut illustrer la scène avec Têtu Cabochon, alors qu'un autre peut dessiner tous les personnages à table en train de partager un repas !
d. Essayez de raconter l'histoire en interprétant chacun un rôle. Par exemple, un ami peut interpréter le rôle de Carabosse, tandis qu'un peut jouer le rôle de Bleutée, et un troisième peut interpréter le rôle de Belle.
e. Réinventez l'histoire en trouvant chacun une façon de convaincre le roi que Carabosse peut réintégrer Livredecontes, et en trouvant un nouveau remède pour contrer le sort qui afflige Belle.

Activités pour les professeurs ou les parents

a. Discutez de l'histoire avec les jeunes. À la fin de l'histoire, Carabosse parvient non seulement à convaincre le roi de réintégrer Livredecontes, mais elle trouve aussi son prince charmant ! Quelle est la morale, selon eux ?

b. Demandez aux jeunes s'il leur est déjà arrivé d'avoir de la difficulté à s'endormir ou à se réveiller le matin. Quels sont leurs trucs pour dormir et pour se réveiller du bon pied ?

c. Dans l'histoire, on apprend aussi qu'il est important d'apprendre à pardonner ! Est-ce que les jeunes ont déjà pardonné à quelqu'un qui les avait blessés ? Comment se sont-ils sentis ?

d. Demandez aux jeunes de trouver un adjectif pour décrire chacun des personnages. Par exemple, Carabosse pourrait être « déterminée » et « romantique ».

e. Demandez à quel personnage ils s'identifient le plus, et pour quelles raisons ?

f. Demandez quelle est leur scène préférée dans l'histoire. Qu'ont-ils aimé ? Est-ce qu'ils ont ri ? Est-ce qu'ils ont été émus ?

Profil d'une fée marraine

Personnage : Carabosse

Âge : 110 ans (très jeune pour une fée)

Statut actuel : le roi lui a finalement permis de réintégrer Livredecontes puisqu'elle a guéri Belle.

Champs d'intérêt : La bonté, l'altruisme, la cuisine, les princes charmants.

Émission préférée : *CSI Livredecontes*

Degré de méchanceté : Nul, depuis que les fées marraines lui ont transmis des qualités et de bonnes valeurs.

Mets préféré : Les macaronis aux trois fromages de Bleutée.

Ennemis jurés : Têtu Cabochon, les poils blancs qui traînent partout et la fricassée de tofu.

Complices : Reine, la mère Michel, Rose, Bleutée, Pinocchio, Belle et Blanche-Neige.

Brochettes de poulet de Caralosse et Belle

(pour reprendre des forces après quelques jours avec Reine)

Voici la recette que Carabosse et Belle ont préparée pour leurs amis. Pinocchio en a même pris trois assiettes !

Donne 2 portions

Ingrédients

- 1 poitrine ou 2 blancs de poulet cuits
- 1 poivron rouge
- 4 champignons
- 125 ml de yogourt nature
- 2 c. à soupe de jus de citron
- 2 c. à soupe d'huile d'olive
- 1 c. à soupe d'aneth frais, haché
- 1 c. à thé de coriandre
- 1 c. à thé de sel
- 1 c. à thé de poivre

N'OUBLIE PAS DE DEMANDER DE L'AIDE À UN ADULTE LORSQUE TU UTILISES LE FOUR.

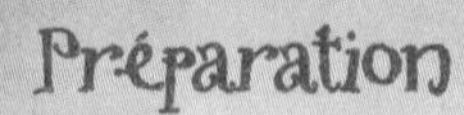

Préparation

1. Faire tremper 4 brochettes en bois dans l'eau pendant une dizaine de minutes.
2. Pendant ce temps, couper la poitrine ou les blancs de poulet cuits en cubes d'environ 3 cm.
3. Couper le poivron en gros morceaux d'environ 3 cm et bien nettoyer les champignons.
4. Mélanger le yogourt, le jus de citron, l'huile d'olive, l'aneth, la coriandre, le sel et le poivre dans un grand bol et bien remuer le tout. Incorporer les cubes de poulet cuit et mélanger de façon à les enrober complètement de marinade. Déposer le bol au réfrigérateur et laisser mariner le poulet environ 15 minutes.
5. Préchauffer le gril du barbecue ou le four à 180 °C (350 °F).
6. Retirer les morceaux de poulet de la marinade et les embrocher en alternant avec les morceaux de poivron et les champignons sur les bâtonnets en bois imbibés d'eau.

7. Faire griller les brochettes de poulet pendant 3 ou 4 minutes de chaque côté, ou les déposer sur une plaque de cuisson légèrement huilée et les faire cuire au four pendant 10 minutes, en les retournant à la mi-cuisson.

À déguster accompagné de riz et d'une salade jardinière.

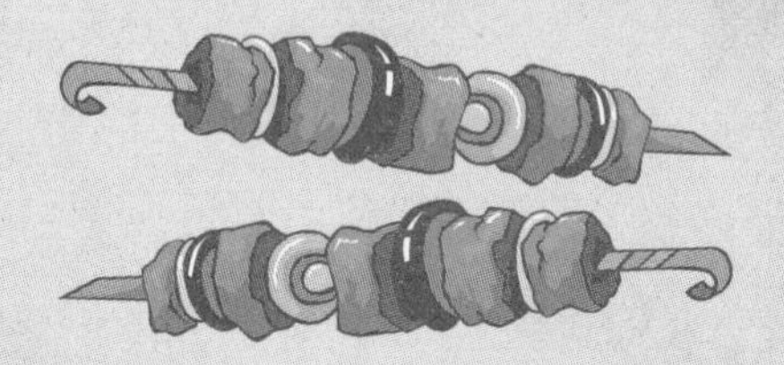

Macaronis aux trois fromages de Bleutée

(le plat préféré de Caralosse)

À la demande de Pinocchio qui s'impatiente de pouvoir enfin y goûter, voici les fameux macaronis aux trois fromages de Bleutée.

Donne 4 portions

Ingrédients

- 250 g de macaronis
- 2 c. à soupe de beurre
- 1 échalote émincée
- 250 ml de lait écrémé
- 50 g de cheddar râpé
- 50 g de mozzarella râpée
- 50 g de fromage suisse ou de gruyère râpé
- 1 c. à thé de poivre
- 2 c. à soupe de persil

N'OUBLIE PAS DE DEMANDER DE L'AIDE À UN ADULTE LORSQUE TU UTILISES LA CUISINIÈRE.

Préparation

1. Préchauffer le four à 180 °C (350 °F).
2. Faire cuire les pâtes dans une casserole d'eau bouillante de 8 à 10 minutes, jusqu'à ce qu'elles soient *al dente*. Les égoutter dans une passoire.
3. Faire fondre la moitié du beurre dans la casserole et faire dorer l'échalote de 3 à 5 minutes. Ajouter le lait, les trois fromages et le poivre et faire cuire le tout à feu doux, en remuant, jusqu'à ce que les fromages soient fondus, puis incorporer les macaronis égouttés et le persil dans la sauce au fromage.
4. Graisser un plat allant au four avec le reste du beurre et y verser les macaronis au fromage. Faire cuire au four environ 30 minutes ou jusqu'à ce que le dessus soit doré.

Cette recette fera le bonheur de tous les amateurs de fromage !

Biscuits aux brisures de chocolat de Dormeur

(inspiré de la recette de Blanche-Neige)

Maintenant que Dormeur ne risque plus de s'endormir en laissant fonctionner le four, il peut préparer des biscuits pour ses amis !

Donne 24 portions

Ingrédients

· 110 g de farine tout usage
· 1/2 c. à thé de bicarbonate de soude
· 1/2 c. à thé de sel
· 70 g de beurre ramolli
· 100 g de cassonade
· 2 c. à thé d'extrait de vanille
· 1 œuf
· 175 g de brisures de chocolat

N'OUBLIE PAS DE DEMANDER DE L'AIDE À UN ADULTE LORSQUE TU UTILISES LE FOUR.

Préparation

1. Préchauffer le four à 180 °C (350 °F) et recouvrir une plaque à biscuits avec du papier parchemin.
2. Mélanger la farine, le bicarbonate de soude et le sel dans un bol.
3. Dans un autre grand bol, mélanger le beurre ramolli, la cassonade et la vanille jusqu'à ce que la texture ressemble un peu à de la chapelure. Ajouter l'œuf et fouetter le tout pour obtenir un mélange homogène.
4. Y verser ensuite le mélange d'ingrédients secs, puis ajouter les brisures de chocolat. Remuer tous les ingrédients afin qu'ils soient bien mélangés.
5. Déposer environ 1 cuillère à soupe du mélange pour chaque biscuit sur la plaque en les distançant pour éviter qu'ils se touchent.
6. Les faire cuire au four de 8 à 10 minutes, jusqu'à ce que le contour des biscuits commence à dorer, puis les laisser refroidir avant de les manger !

Un véritable délice avec un grand verre de lait !

Sauté de légumes au tofu

(qui saura plaire à tous)

Une recette végétarienne pour faire plaisir à Reine, car le tofu, ça peut être bon !

Donne 4 portions

Ingrédients

- 6 c. à soupe de sauce soya
- 2 c. à soupe de miel
- 1 c. à soupe d'huile de sésame
- 1/2 c. à thé d'ail en poudre
- 1/2 c. à thé de coriandre en poudre
- 1/2 c. à thé de cumin en poudre
- 1 bloc de tofu ferme nature
- 1 oignon
- 2 poivrons rouges
- 1 poivron vert
- 1 c. à soupe d'huile d'olive
- 1 poignée de fèves germées
- 1 c. à soupe de graines de sésame
- Coriandre fraîche
- Piment en poudre ou en sauce (si désiré)

N'OUBLIE PAS DE DEMANDER DE L'AIDE À UN ADULTE LORSQUE TU UTILISES LA CUISINIÈRE.

Préparation

1. Dans un bol, mélanger la sauce soya, le miel, l'huile de sésame, l'ail, la coriandre et le cumin. Couper le tofu en petits cubes et le mettre dans la marinade. Laisser reposer au moins 1 heure (ou plus longtemps pour plus de goût) et égoutter les cubes de tofu en conservant la marinade.
2. Couper l'oignon et les poivrons en lamelles d'environ 3 cm.
3. Chauffer l'huile d'olive dans un poêlon ou un wok et faire revenir l'oignon de 2 à 3 minutes. Ajouter les cubes de tofu et poursuivre la cuisson 5 minutes en remuant souvent.
4. Ajouter les poivrons et cuire 5 minutes en remuant souvent.
5. Verser la marinade dans le poêlon et mélanger pour bien enrober les légumes et le tofu.

6. Retirer du feu et ajouter les fèves germées, les graines de sésame et la coriandre fraîche. Mettre le piment pour un plat plus piquant. Servir accompagné de riz blanc.

Tu peux varier la recette en ajoutant tes légumes préférés : carottes, champignons, brocoli, tomates, pois sucrés...